बिजनेस
के
सितारे

बिजनेस के सितारे

(शून्य से शिखर तक पहुँचने की 100 बिजनेस गाथाएँ)

प्रमोद बत्रा

ज्ञान गंगा, दिल्ली

प्रकाशक : ज्ञान गंगा, 205-सी चावड़ी बाजार, दिल्ली-110006
 / संस्करण : प्रथम, 2013 / मूल्य : दो सौ पचास रुपए
मुद्रक : भानु प्रिंटर्स, दिल्ली ISBN 978-93-82901-45-7

BUSINESS KE SITARE *by* Promod Batra Rs. 250.00
Published by Gyan Ganga, 205-C Chawri Bazar, Delhi-110006

लेखकीय

हम अपने बीच बहुत से बिजनेसमैन को देखते हैं और उनके धन-वैभव को देखकर चमत्कृत होते हैं। कुछ लोग उनका अनुसरण करके वैसे ही सफल व्यवसायी बनना चाहते हैं। पर क्या यह इतना आसान है? विशेषकर वैसे लोगों के लिए, जिनके पास बिजनेस का कोई पारंपरिक अनुभव न हो—दूर-दूर तक जिनकी पीढ़ी में किसी ने बिजनेस न किया हो।

दरअसल, किसी भी नए बिजनेस को चलाना एक बेटा-बेटी को सुयोग्य बनाने जैसा है। एक माँ जैसे शिशु को गर्भ में पालती है और हँसकर सारी पीड़ाएँ झेलती है, तब कोई नहीं जानता कि उसकी उस संतान का भविष्य कैसा होगा; ठीक वैसे ही किसी भी बिजनेस की शुरुआत में बिजनेसमैन को गर्भवती माँ जैसी ही पीड़ा झेलनी पड़ती है और नवजनमे बिजनेस की शिशु की तरह देखभाल करके उसे सुयोग्य व सुस्थापित बनाना होता है।

किसी भी बिजनेस के फर्श से अर्श तक और शून्य से अनंत तक की यात्रा के बीच कहीं कोई ठहराव नहीं होता; क्योंकि जहाँ ठहरे वहाँ समाप्ति, इसलिए इस यात्रा को पर्वतारोहण की तरह पूरी सावधानी, जिम्मेदारी और निरंतरता के साथ चलाए रखना होता है, तभी एवरेस्ट को फतेह किया जा सकता है। इसके बाद यह देखना होता है कि शीर्ष पर कैसे स्थापित रहा जाए, इसके लिए बिजनेसमैन को सामयिक रणनीतियाँ बनानी होती हैं। कुल मिलाकर बिजनेस एक ऐसी मंजिल है, जहाँ सूरज को चौबीसों घंटे चमकाए रखना होगा, वहाँ अँधेरा होने का मतलब है सबकुछ चौपट हो जाना।

बिजनेस को चलाने के लिए बिजनेसमैन में कुछ मूल गुण होने भी आवश्यक हैं। किसी का अनुसरण करके किसी बिजनेस में कूदने में कोई बुराई नहीं है,

लेकिन फिर इसके बाद व्यवसायी को अपने निर्णय स्वयं लेने होंगे और परिवेश के अनुरूप स्वयं को इस प्रकार ढालना होगा कि उसके निर्णय निर्णायक सिद्ध हों। बिजनेस की सफलता के लिए संबद्ध तकनीकी ज्ञान हो तो बहुत अच्छा है; साथ ही ईमानदारी, समर्पण और खुद आगे बढ़कर काम करने की प्रवृत्ति बेहतरीन गुण होते हैं।

एक इंडस्ट्रियल एरिया में एक बार किसी दीवार पर लिखी एक पंक्ति मुझे याद आ रही है, हरेक बिजनेसमैन के लिए वह आदर्श वाक्य हो सकती है—बिजनेस इज ट्राई इन डस्ट—व्यवसाय वैसा ही है, जैसे रेत में से कुछ कीमती चीज ढूँढ़ना।

प्रस्तुत पुस्तक कुछ ऐसे ही बिजनेसमैन की प्रोफाइल है, जिन्होंने पारिवारिक परंपराओं को तोड़कर व्यवसाय में हाथ आजमाए और अपनी कठोर मेहनत, जुझारूपन और जीवंत समर्पण के दम पर 'शून्य' से 'शिखर' तक पहुँच गए और आज सितारों की तरह जगमगा रहे हैं, जिनमें अपना स्वयं का प्रकाश है।

भावी बिजनेसमैन इन सितारों से उनकी रणनीतियाँ, युक्तियाँ, भावनाएँ इत्यादि ग्रहण करके अपने कदम को सार्थक बना सकते हैं। पुस्तक में अजीम प्रेमजी से लेकर डॉ. नारायण मूर्ति और आनंद महिंद्रा से लेकर गौतम अडाणी तक की बिजनेस रणनीतियाँ वर्णित की गई हैं। साथ ही इंद्रा के. नुई जैसी कॉरपोरेट शख्सियत पर भी प्रकाश डाला गया है, जिन्होंने विश्व को एक बड़ा प्रतिष्ठित पद अपनी व्यक्तिगत योग्यता के दम पर पाया।

यह पुस्तक भावी बिजनेसमैन की बाइबल के रूप में अभिव्यक्त की जा सकती है, जो सदैव उनका सकारात्मक मार्गदर्शन करने में समर्थ है।

—प्रमोद बत्रा

अनुक्रम

अक्षय बेक्टर

"अमेरिका में हममें बेहतरीन को भी बेहतर करने का जज्बा रहता है। हम बढ़ते ही रहना चाहते हैं।"

—रजनी बेक्टर, क्रेमिक ग्रुप ऑफ कंपनीज की संस्थापक

मेरे नजरिए से उनकी बड़ी कामयाबी देश भर में महिला उद्यमियों के लिए स्व-प्रोत्साहन व स्व-प्रेरणा का स्रोत है। यदि वह यह कर सकती हैं तो आपकी और हमारी बेटियाँ भी ऐसा कर सकती हैं। रजनी ने अपने गैरेज में आइसक्रीम बनाने का काम प्रारंभ किया। वह एक समृद्ध परिवार से आती हैं, जहाँ पैसा उनके लिए समस्या नहीं है। किंतु उनके बेटों—अजय, अक्षय और अनूप के बड़े होने के उपरांत उन्हें अपना मन चाहा काम करने के लिए पर्याप्त समय मिलने लगा और वह बिना एम.बी.ए. के संसाधनों की एक कुशल प्रबंधक बन बैठीं।

उन्होंने 20,000 रुपए की लागत से अपनी रसोई में ही पति की मदद से अपना व्यवसाय प्रारंभ किया और आज 'क्रेमिका' 500 करोड़ रुपए का व्यवसाय करनेवाली कंपनी का नाम है। के.एफ.सी. के मालिक कर्नल साउंड्र्स ने भी सेवा-निवृत्ति के पश्चात् रसोईघर से ही व्यवसाय प्रारंभ किया था। सफलता, वह भी

बड़ी, हमेशा ही 20 से 30 वर्षों के परिश्रम के पश्चात् मिलती है। बेक्टर के मामले में मैकडोनॉल्ड इंडिया ने 'क्रेमिका' को सीसेम बन्स, लिक्विड कॉण्डिमेंट्स, बटर और ब्रडिंग की पूर्ण आपूर्ति के लिए चुना। क्यों? क्योंकि वे एक गुणवत्ता देनेवाले व भरोसेमंद आपूर्तिकर्ता की तलाश कर रहे थे। उस समय बिस्कुट ही उनका पसंदीदा नाश्ता हुआ करता था; लेकिन एक सच्चा और पूरी तरह से तैयार उद्यमी किसी नए अवसर में चमत्कार नजर आता है। वही चमत्कार इस परिवार को भी नजर आया। अक्षय आज इसके प्रबंध निदेशक हैं, जबकि उनकी माँ चेयरपर्सन।

मैकडोनॉल्ड की माँग को पूरा करने के लिए कंपनी ने 50:50 की दो जे.वी.एस. को ब्रिटेन की एफ.बी.आई. फूड्स और अमेरिका की क्वेकर ओट्स को सील कर दिया। आज भारत में आनेवाले वर्षों में हमारे विचार के कारण हमें दुनिया भर से सर्वोत्कृष्ट तकनीक प्राप्त करने का फायदा मिल सकता है। कल के नवोदित उद्यमियों ने सफलता का स्वाद चखने के बाद अपनी ऊर्जा को कई गुना बढ़ाया है और दूसरे बड़े व कामयाब उद्यमियों से प्रेरणा हासिल करने के लिए ऐसे छुपे अगुआओं ने उद्यम के उत्साह को हासिल किया है। यदि वे ऐसा कर सकते हैं तो मैं भी कर सकता हूँ। वे बाजार में अपना स्वयं का स्थान बनाते हैं और वर्षों की मेहनत के दौरान अपनी तरक्की से संतुष्ट हो चुके बड़े महारथियों को बाजार से बाहर कर देते हैं। वर्षों के दौरान इस ग्रुप ने न केवल मैकडोनॉल्ड से अपितु इंडियन आर्मी से भी क्रेमिका के ब्रांड से विश्वास कमाया है। इसने प्रतिदिन 230 मीट्रिक टन बिस्कुट बनाने की क्षमता निर्मित की है। यह अपने कुल उत्पादन का 40 प्रतिशत निर्यात कर देती है। इसमें 2,500 कर्मचारी कार्यरत हैं। भूलिए मत, यह सब एक गैरेज से शुरू हुआ। याद रखिए, सफलता एक कला है, न कि विज्ञान। इसलिए लगे रहिए।

❑

अजीम प्रेमजी

"अपने धन पर ध्यानाकर्षण से मैंने सोचा कि मैं नाराजगी का स्रोत बन गया होता, लेकिन यह तो एकदम उलटा हुआ। इससे बहुत से लोगों में उतनी ही महत्त्वाकांक्षा और बढ़ जाती है।"

ईटी के 16 अप्रैल, 2010 के द पॉवर पोर्टफोलियो-100 में उन्हें छठे स्थान पर रखा गया है। *'फोर्ब्स इंडिया'* के 100 सबसे धनी भारतीयों की सूची में 15 अरब डॉलर की हैसियत के साथ वे चौथे नंबर पर हैं। उन्हें मितव्ययी अरबपति (फ्रूगल बिलियोनेयर) की पदवी से सम्मानित किया गया है। पिता का देहावसान होने के कारण 22 वर्ष की उम्र में उन्हें स्टैनफोर्ड में अपनी पढ़ाई को अधूरा छोड़ विप्रो की बागडोर सँभालनी पड़ी। बिल गेट्स की तरह उन्होंने भी अपनी किशोरावस्था की इच्छा इंजीनियरिंग की पढ़ाई 33वें वर्ष में स्टेनफोर्ड में करके पूरी की। उन्हें कॉरपोरेट प्रशासन में गहरे वैयक्तिक मूल्यों के लिए जाना जाता है। उनकी विप्रो कंपनी जन-धारणा में एक नैतिक कंपनी के रूप में पहले नंबर पर है। उनकी

कंपनी भारत की तीसरे नंबर की सॉफ्टवेयर सर्विस निर्यातक ऐसी कंपनी है, जहाँ आई.टी. उद्योग की अत्यधिक अनिश्चितता बहुत ज्यादा प्रभावी नहीं रहती। उनके दो बेटे हैं। बड़ा बेटा हार्वर्ड स्नातक है और विप्रो में महाप्रबंधक की जिम्मेदारी सँभाले हुए है।

अज़ीम को वर्ष 2005 में पद्मभूषण से सम्मानित किया गया। उनका विश्वास है कि चुनौतियाँ हर समय तुम्हें खोजती हुई नहीं आतीं। कभी-कभी उन्हें खोजने के लिए तुम्हें जाना पड़ता है, अज़ीम प्रेमजी फाउंडेशन के प्रति उनका लगाव व समर्पण उनकी वर्तमान चुनौती है। इसका उद्देश्य सरकार और अन्य संबंधित क्षेत्रों के साथ मिलकर सामाजिक मुद्दों को प्रभावित करना है। यह भारत में प्राथमिक शिक्षा के सार्वभौमीकरण के प्रति कटिबद्ध है। इसके प्रमुख केंद्र विशेष रूप से ग्रामीण विद्यालय हैं। उन्हें कर्नाटक में प्रथम निजी विश्वविद्यालय प्रारंभ करने की अनुमति प्राप्त हो चुकी है। विप्रो को *'बिजनेस टुडे'* के फरवरी 2010 के अंक में प्रकाशित 'बेस्ट कंपनीज टु वर्क फॉर' के छठे स्थान पर रखा गया है। उनकी कंपनी में कर्मचारियों की संख्या 99,536 है। इसे सुरक्षित व लचीले नियोक्ता के रूप में देखा जाता है। भले ही यहाँ वेतन की दर इसकी अंतरराष्ट्रीय प्रतियोगी कंपनियों के पाँचवें भाग के बराबर है। प्रशिक्षण को लेकर वे अत्यधिक उत्साही रहते हैं। स्वयं प्रेमजी वर्ष में पाँच दिन वरिष्ठ प्रबंधकों को परामर्श देते हैं तो वरिष्ठ प्रबंधक 10 दिन तक कनिष्ठ प्रबंधकों को प्रशिक्षण व परामर्श देते हुए बिताते हैं।

❑

अनलजीत सिंह

"एक परोपकारी एवं व्यावसायी–एक ऐसी पहेली, जिसने अवसरों को बेजोड़ सफलता की कहानियों के रूप में सामने रखा।"

अनलजीत सिंह के विषय में कभी–कभी कहा जाता है कि एक व्यक्ति होकर भी वे दो जीवन जी रहे हैं। एक ऐसा व्यक्ति, जो व्यवसाय को दो विविध आदर्शों से चलाता है।

एक जीवन में वे एक अवसरवादी व्यापारी रहे हैं, जिसमें उन्होंने वोडाफोन, एस्सार के शेयरों की खरीद–बिक्री ऐसी कीमतों पर की जिसमें भारतीय दूरसंचार की कहानी के साथ लगातार बढ़त ही बनी रही। अपने दूसरे जीवन में उन्होंने एक निश्चयी उद्यमी बने रहकर धैर्य एवं सतर्कतापूर्वक मैक्स इंडिया का निर्माण किया, जिसमें बीमा, हेल्थकेयर एवं क्लीनिकल अनुसंधान, जो कि मानव जीवन के इर्द–गिर्द घूमते हैं, सम्मिलित हैं। वे इसे 'जीवन का व्यवसाय' कहते हैं।

एक ऐसे साँचे में ढाले गए व्यवसाय, जो लोगों से जुड़ते हैं, उनकी सेवा करते हैं और इस तरह मूल्य–आधारित व्यवसाय की प्रक्रिया में परिवर्तित होते

हैं। निस्संदेह वे व्यवसाय हैं, लेकिन उनमें उचित लाभ का सिद्धांत है, न कि ज्यादा-से-ज्यादा लाभ कमाने की होड़ का। यह एक ऐसी धारणा है, जिसे आज के बहुत कम उद्यमी ही समझ सके हैं। अनलजीत सिंह के लिए लाभ और शेयर मार्केट से बढ़कर उत्कृष्ट सेवा, विश्वास एवं गुणवत्ता मायने रखती है। बाकी अन्य बातें गौण हैं और वे स्वयमेव इनके पीछे भागती चली आती हैं। यह लघुकाल के लाभ और शीघ्र परिणाम देनेवाली विकास की व्यूह रचना की अपेक्षा सामाजिक व नैतिक जिम्मेदारियों के भाव से प्रेरित होती है। इसके परिणाम सभी की नजरों के सामने हैं।

शिक्षा एक ऐसी चीज है, जो उनके हृदय के काफी नजदीक है। यह उनके द्वारा मोहाली में बननेवाले आई.एस.बी. कैंपस हेतु 50 करोड़ रुपए की राशि का विनियोग कर इसका संस्थापक सदस्य बनने से सिद्ध होती है। गुरु गोविंद सिंह इंद्रप्रस्थ विश्वविद्यालय, दिल्ली के बोर्ड ऑफ मैनेजमेंट के सदस्य होने के अलावा वे दून स्कूल के बोर्ड ऑफ गवर्नर के कार्यकारी सदस्य भी हैं।

उनके अपने पसंदीदा कार्य-क्षेत्र से उन्हें विश्वास हासिल हुआ है। जे.वी. साझेदारों की सूची एवं बड़ी तादाद में विनियोगकर्ता इसके साक्ष्य हैं। न्यूयॉर्क लाइफ, यू.एस. आधारित फॉर्चून 100 कंपनी, बूपा फाइनेंस, यू.के. हेल्थकेयर और हार्वर्ड मेडिकल इंटरनेशनल जैसे उनके साझेदार हैं। गोल्डन सैक्स, वारबर्ग पिनकस, आई.एफ.सी. जैसे बड़े निवेशकों ने उनके व्यवसाय में अपना भरोसा जताया है। आज मैक्स इंडिया ग्रुप सेवा की उत्कृष्टता के लिए प्रतिबद्ध कंपनी है, जिसका नेतृत्व एक पारदर्शी एवं बोर्ड से प्रबंधित प्रशासन द्वारा किया जाता है। वर्ष 2009-10 में मैक्स इंडिया ने 1.5 अरब अमेरिकी डॉलर की आय का आँकड़ा पार कर लिया। इसके अलावा इसके मजबूत व्यावसायिक कार्य-संपादन का साक्ष्य भी देखा जा सकता है।

❑

अनिल अग्रवाल

"अंजली वेदांत फाउंडेशन और उड़ीसा के वेदांत विश्वविद्यालय में 1 अरब डॉलर की राशि लगाने के कारण मेरे लिए तुम महान् हो।"

अनिल अग्रवाल का नाम 'फोर्ब्स एशिया' द्वारा किए गए 100 सर्वाधिक धनी भारतीयों के सर्वेक्षणवाली सूची में उनकी 6.3 अरब डॉलर की हैसियत के साथ 11वें स्थान पर आता है। वे परोपकारी कार्यों में सबसे आगे रहनेवाले फोर्ब्स की सूची में स्थान प्राप्त चार भारतीयों में से एक हैं।

उनका ज़न्म सन् 1959 में पटना में हुआ था। उनके पिता एक छोटे व्यवसायी थे। उन्होंने मैट्रिक तक शिक्षा प्राप्त की है। लालू यादव उनके सहपाठी हुआ करते थे। वे पूरी तरह शाकाहारी हैं। उनकी दो संतानें हैं। वे लंदन (यू.के.) में रहकर अपना कारोबार चलाते हैं। उन्होंने सन् 1976 में रद्दी धातुओं के व्यापारी के रूप में काफी निम्न स्तर पर अपना कारोबार प्रारंभ किया। 21 वर्ष की अवस्था में उन्होंने अपनी एक पारिवारिक मित्र 16 वर्षीया किरण से विवाह कर लिया। प्रसंगवश, उनके जीवन की पहली खुशी उन्हें तब मिली जब उनके पिता ने उन्हें एक साइकिल

खरीदकर दी। काफी बाद में उनके पास वेस्पा स्कूटर भी आ गया; किंतु उस पर सवार होकर वे कभी भी महाविद्यालय नहीं गए।

आज उन्होंने ताँबा, जस्ता, एल्युमीनियम व लौह अयस्क एवं ऊर्जा उत्पादन में अपना साम्राज्य स्थापित कर लिया है। वे आज निजी विमान से यात्रा करते हैं। कुछ ही दशकों में वे एक साइकिल से निजी विमान के मालिक बन गए—भगवान् जी तुसी बहुत ही ग्रेट हो। लाइसेंस राज के चलते वे लंदन चले गए और बड़े ख्वाब देखने लग गए। उनकी जान-पहचान के दायरे में पी. चिदंबरम जैसी भारतीय व अनेक अंतरराष्ट्रीय विभूतियाँ शामिल हैं। तरक्की की ऊँचाइयाँ चढ़ने के साथ-साथ उन्होंने अंग्रेजी भाषा सीखी। वे 'हरे कृष्णा' भक्त भी हैं और समान सोच रखनेवाले उनके बहुत से मित्र हैं। अपनी उद्यमी यात्रा में उन्होंने बाल्को और हिंदुस्तान जिंक जैसी सार्वजनिक क्षेत्र की इकाइयों को चुना। वर्ष 2006 में उन्होंने वेदांत विश्वविद्यालय की स्थापना में 1 अरब डॉलर की राशि लगाई। फोर्ड, रॉकफेलर्स, बिल गेट्स एवं ऐसे ही अनेक अमेरिकी उद्योगपतियों के नक्शे-कदम पर चलते हुए अपना 20 प्रतिशत वक्त परोपकारी कार्यों में खर्च करते हैं। परोपकार की दिशा में उठाए गए अपने इस छोटे से कदम के साथ वे अपनी कमाई को वापस समाज में बाँटना चाहते हैं।

उनकी विविध कंपनियाँ 3.35 अबर डॉलर के संग्रह के साथ कोण निर्माण कार्य में लगी हुई हैं। उनकी स्टारलाइट इंडस्ट्री संसार भर में अधिग्रहण हेतु कार्यरत है। उनके विश्वविद्यालय के भू-अधिग्रहण का कार्य अभी संपन्न होना बाकी है।

❑

अशोक के. चौहान

“आज शिक्षा एक उच्च लाभ वाला व्यवसाय बन चुकी है। बशर्ते आप अपने संस्थान के प्रबंधन में बहुत निपुण हों।”

जब मैं टी.वी. पर एमिटी के विज्ञापन को देखता हूँ तो मुझे भारतीय होने पर गर्व होता है। यह मुझे मिनिसोटा यूनिवर्सिटी कैंपस, जहाँ मैं 21 वर्ष की उम्र में एम.बी.ए. करने गया था, की याद दिलाता है। मैंने कभी कल्पना भी नहीं की थी कि एक दिन ऐसा कैंपस मुझे भारत में देखने को मिलेगा।

एमिटी की शुरुआत सन् 1991 में दिल्ली के साकेत में एक स्कूल से हुई। आज इसकी आमदनी 600 करोड़ रुपए है। इसके विभिन्न परिसरों में विश्व स्तरीय सुविधाएँ हैं। इसका नोएडा स्थित परिसर लगभग 60 एकड़ में फैला हुआ है। 15:1 के छात्र-शिक्षक अनुपात से इसकी छात्र संख्या 80,000 है। पूर्णकालिक पाठ्यक्रमों के लिए एमिटी की शुल्क दर 2.4 से 10 लाख रुपए तक है। और ये पाठ्यक्रम पूर्ण भी हैं। क्यों? क्योंकि यदि आप बेहतर गुणवत्ता रखते हैं तो लोग आपके पास जंगल में भी आएँगे। इससे स्पष्ट होता है कि भारतीय जन्मजात उद्यमी होते हैं, बशर्ते हमें अपनी प्रतिभा दिखाने का अवसर मिले, जोखिम वहन करने की

योग्यता हो और आगे बढ़ने का अवसर मिले।

अशोक के. चौहान के छोटे बेटे अतुल उत्तर प्रदेश में और ज्येष्ठ पुत्र असीम राजस्थान में बतौर कुलपति एमिटी विश्वविद्यालय का कार्यभार सँभालते हैं। अतुल एक सुशिक्षित उद्यमी हैं, जिन्होंने राज्य की विधानसभा में एमिटी विश्वविद्यालय अधिनियम 2005 पेश करने के लिए समाजवादी पार्टी को मनाया। व्हार्टन बिजनेस स्कूल के पूर्व छात्र असीम की कर्मभूमि राजस्थान है। लंदन, सिंगापुर, सैनफ्रांसिस्को एवं न्यूयॉर्क में उनके कई अंतरराष्ट्रीय परिसर हैं। विश्व भर में 30,000 पूर्व छात्र हैं। हमारी शिक्षा पद्धति में अति नियमन एवं न्यून प्रशासन है। यह बहुपरती एवं जटिल है। चौहान जैसे उद्यमी हमारी शिक्षा-प्रणाली में क्रांतिकारी बदलाव ला रहे हैं। धन्यवाद! जब वह यह कहें कि एमिटी एक परोपकारी कदम है, तो कृपया उनकी बात को राजनीतिक रूप से सही न समझें, क्योंकि 'फायदा' भारत में अभी भी नकारात्मक शब्द है। और खासकर शिक्षा एवं स्वास्थ्य के क्षेत्र में तो और भी ज्यादा। मेरे लिए तो अशोक एक उद्यमी हैं और यदि मुझे कभी जादू की छड़ी मिल जाए तो मैं उसका प्रयोग गरीबी में कमी लाने के लिए हजारों अशोक उत्पन्न करने के लिए करूँगा। मेरा मानना है कि 'फायदा' एक नकारात्मक शब्द नहीं है, बशर्ते आप इसे व्यवसाय करने के स्वीकृत तरीकों के माध्यम से अर्जित करें।

❑

अशोक चतुर्वेदी

> “यदि आप सपना देख सकते हैं, ते इसे साकार भी कर सकते हैं।”
>
> *—वॉल्ट डिज्नी*

25 साल पहले अशोक ने पैकेजिंग के क्षेत्र में एक सफल उद्यमी बनने के लिए नई दिल्ली के ग्रेटर नोएडा में एक छोटे से कार्यालय से अपनी शुरुआत की थी। तब एक आम उद्यमी की तरह उनका भी एक सपना था। भारत में आज के उद्यमियों में से कुछ विश्व उद्यमिता के दायरे से बाहर निकल चुके हैं। अशोक की कंपनी ‘युफलेक्स’ ऐसी ही एक कंपनी है, जिसने अपना विस्तार दुबई, मेक्सिको, मिस्र तक (और आगामी वर्षों में और ज्यादा) कर लिया है। अशोक सितारों तक पहुँचने का लक्ष्य बना रहे हैं और अभी तक के अपने ट्रैक रिकॉर्ड के आधार पर वे सफलता हासिल कर सकते हैं।

‘यूफलेक्स’ 3,000 करोड़ रुपए की हैसियतवाला ‘समूह’ बन चुका है और शीघ्र ही इसके 1 अरब डॉलर वाली कंपनी बनने की संभावना है। इसका दृष्टिकोण अद्वितीय है, क्योंकि यह अधिग्रहण के माध्यम से न बढ़कर दुनिया भर में उपलब्ध सर्वोत्कृष्ट तकनीकियों एवं उपकरणों का प्रयोग कर विकास कर रही है।

अशोक की इस उद्यम सफलता का श्रेय नवप्रवर्तन के साथ-साथ व्यावसायिक

प्रबंधन को जाता है। उन्होंने सन् 1985 में अपने व्यवसाय की नींव रखी और आज उनकी कंपनी 100 देशों को नियमित निर्यात करती है तथा कई अन्य देशों में उसकी प्रक्रिया जारी है। भारत और विदेशों में उसने अपने संयंत्र स्थापित किए हैं। उच्च समन्वय एवं सर्वोत्तम तकनीकी के कारण वह दुनिया भर में फैले अपने ग्राहकों की बेहतरीन स्थिति का भरोसा दे सकते हैं। उनके सी.एस.आर. क्रियाकलापों में उद्योग के लिए प्लास्टिक की रद्दी की रीसाइक्लिंग एवं रीप्रोसेसिंग सम्मिलित है।

यूफलेक्स ने सादी व धातु युक्त बाइएक्सियली ओरिएंटेड फिल्म, बहुपरतदार फिल्में, कास्ट पॉलीप्रॉपिलीन फिल्में एवं बुनी हुई प्लास्टिक फैब्रिक्स बनानेवाले संयंत्र स्थापित किए हैं। इसके अतिरिक्त यूफलेक्स को दुनिया की सबसे बड़ी पूर्ण समन्वित एवं अखंडित लोचदार पैकेजिंग कंपनी होने का विशिष्ट गौरव प्राप्त है। पैकेजिंग उद्योग की दुनिया में यूफलेक्स एक सम्मानित ब्रांड बन चुका है।

यूफलेक्स मुद्रण, लेमिनेटिंग, कोटिंग, स्लिटिंग-रिवाइंडिंग एवं पाउच बनाने जैसे उपकरणों को विकसित, डिजाइन तथा इनके निर्माण का कार्य करती है। सच ही कहा गया है कि इनसान जो चाहे हासिल कर सकता है। जहाँ तक अशोक का मामला है, उन्होंने दुनिया के लिए पैकेजिंग की समस्या एवं उससे जुड़े समस्त समाधानों पर सोच-विचार किया और उन्हें हासिल भी कर लिया।

❑

अशोक मित्तल, नरेश मित्तल, रमेश मित्तल

"एक उद्यमिता का निर्माण ताजमहल की रचना जैसा है। यह जादुई छड़ी से नहीं आता। इसमें पीढ़ियों का समय, विशेषज्ञ वास्तुविद की कुशलता एवं अनेक लोगों के कार्य की आवश्यकता होती है।"

पंजाब विधानसभा में हमारे विश्वविद्यालय का दर्जा हासिल करने के मामले में जारी बहस के दौरान एक सदस्य ने टिप्पणी की कि यदि मिठाई बाजार विश्वविद्यालय स्थापित करना शुरू कर देंगे, तो मिठाइयाँ कौन बनाकर बेचेगा? और उत्तर में कहा गया कि ऐसी स्थिति में कोई भी तरक्की नहीं कर सकता। क्या केवल आई.ए.एस. ऑफिसर का बेटा ही आई.ए.एस. बन सकता है?

विश्वविद्यालय की स्थापना इंटरनेशनल इंस्टीट्यूट ऑफ मैनेजमेंट के नाम से हुई, किंतु विज्ञापनों का असर काफी कमजोर रहा। अपने भाइयों नरेश और रमेश के साथ मिलकर मैंने इसमें एक नई सोच जोड़ दी और विज्ञापन में यह जोड़ दिया गया कि इंस्टीट्यूट को लवली ग्रुप ऑफ कंपनीज की ओर से प्रोत्साहित किया जा

रहा है। तीन घंटे के अंदर सारी सीटें भर गईं। इसे कहते हैं उद्यमी सोच। तदुपरांत इसका नाम बदलकर 'लवली प्रोफेशनल यूनिवर्सिटी' रख दिया गया।

लवली ग्रुप की शुरुआत बलदेव राज मित्तल (1931-2004) द्वारा की गई। वह जालंधर में सेना में ठेकेदार की हैसियत से जुड़े थे। उनकी बेटी का नाम लवली है, इसलिए सन् 1986 में बलदेव ने लवली मिठाई शॉप शुरू की।

प्रसिद्ध पत्रकार श्री खुशवंत सिंह को उनकी दुकान के लड्डू इतने पसंद थे कि उन्होंने इसकी चर्चा अपने लेखों में भी की और यह भी कहा कि संभवत: राहुल बजाज ने लवली ग्रुप को डीलरशिप इसलिए दी कि वह लड्डू बड़े जायकेदार बनाते हैं। इसके पश्चात् उन्हें मारुति डीलरशिप भी दी गई।

वर्ष 2009 में लवली ग्रुप ने आई.आई.टी. के 200 से ज्यादा स्नातकों एवं स्नातकोत्तरों को बतौर फैकल्टीज अपने साथ जोड़ा। 600 एकड़ क्षेत्रफल वाला परिसर 24,000 छात्रों; 150 से अधिक पाठ्यक्रमों और विशालतम स्कॉलरशिप योजनाओं एवं 2,500 प्लेसमेंट्स की सुविधा के साथ यह भारत का सबसे बड़ा विश्वविद्यालय बन चुका है। शिक्षा की गुणवत्ता माँग और आपूर्ति अर्थात् प्रतियोगिता के नियम के अनुरूप उभरकर सामने आती है। यदि लक्ष्मी एन. मित्तल स्टीलमैन बन सकते हैं तो अशोक मित्तल शिक्षा की दुनिया में नंबर वन क्यों नहीं हो सकते। आखिर भारत में 1 अरब से ज्यादा लोग जो रहते हैं।

❑

BIG BAZAAR
NAYE INDIA KA BAZAAR

अश्नी एवं विवेक बियानी

"आप स्वयं की आँख व कान बनिए, अपने ग्राहकों का अध्ययन कीजिए और उन्हें समझिए।"

स्टेनफोर्ड स्नातक 25 वर्षीया अश्नी किशोर बियानी की बेटी हैं तो मिशिगन विश्वविद्यालय से बी.बी.ए. डिग्रीधारी 24 वर्षीय विवेक किशोर के भाई हैं। दोनों युवा उत्तराधिकारी हैं और वर्ष 2020 तक उन्हें पी.एस.आर. ओबेरॉय की तरह एक्सीलरेटर इंटरप्रिन्योर (ए.ई.) की डिग्री प्राप्त हो सकती है। बेशक, उन्हें किशोर की पुस्तक 'इट हैपेंड इन इंडिया' से उद्यमिता एवं फुटकर की जानकारी प्राप्त हो सकती है। यह पुस्तक उद्यमिता पर आधारभूत जानकारी प्राप्त करनेवाले प्रत्येक भारतीय के लिए आवश्यक है।

सन् 1987 में अरविंद मिल्स को डेनिम आपूर्ति करनेवाले पारिवारिक व्यवसाय से अलग होने पर 7 लाख रुपए प्राप्त हुए।

उसने अपने मन की आवाज को सुनते हुए अपने परिवार के ऐशो-आराम की स्थिति से बाहर आकर उद्यमिता की चुनौतियों को अपनाया। उसने प्रतिदिन 20 ट्राउजर का निर्माण करना प्रारंभ किया। वह वर्ष 2000-2009 के दशक के ऐसे प्रमुख उद्यमी बने, जब भारत पारंपरिक व्यवसायवाला से बदलकर उद्यमवाला बन गया। उनके पेंटालून रिटेल ने हमारी खरीदारी करने के तरीके को बदलकर रख दिया और आज हम एक ही छत के नीचे वातानुकूलित सुविधा में किराने की खरीदारी करते हैं। इसमें 1.3 करोड़ वर्ग फीट के फुटकर स्टोर में 1,000 स्टोर्स हैं,

जिनका टर्नओवर से अधिक है। बिग बाजार इसका मात्र 60 प्रतिशत ही है। उन्होंने प्रत्येक 26 जनवरी को एक ऐसा दिन बना दिया है, जब लोग उनके स्टोरों में कुंभ मेले की तरह एकत्र होते हैं। किशोर भारत के सबसे बड़े फुटकर व्यवसायी बन चुके हैं और अभी भी उनके पास ऊँचाइयाँ चढ़ने के अनेक अवसर हैं। वे गोल्फ, जिम एवं टेनिस की अपेक्षा पैदल चलने को प्राथमिकता देते हैं। उनके उत्तराधिकारियों को वॉल मार्ट ऑफ इंडिया बने रहने के लिए 6,000 से अधिक कर्मचारियों और 300 से अधिक प्रबंधकों को किशोर की प्रबंधक शैली से सँभालना एवं उनमें अपने तरीके को भी शामिल करना सीखना होगा।

अश्नी एवं विवेक के पास बतौर युवा उत्तराधिकारी अपने व्यवसाय को पहली पीढ़ी से भी ज्यादा विकसित करने के लिए पारिवारिक संसाधनों के रूप में अप्रतिम अवसर हैं। साथ ही सैकड़ों किशोर बियानी के रूप में एक धर्म-संकट भी है, जो आज के बढ़ते बाजार एवं अप्रयुक्त ग्रामीण बाजार में ज्यादा चतुराई, सूझ-बूझ एवं कठिन मेहनत से काम करने के लिए तैयार हैं।

❑

SUPER 30

आनंद कुमार

> “गरीबी एवं शोषण से स्वयं को मुक्ति दिलाने के लिए शिक्षा ही एकमात्र अस्त्र है।”

“प्रतिवर्ष लगभग 2,30,000 छात्र भारतीय प्रौद्योगिकी संस्थान (इंडियन इंस्टीट्यूट ऑफ टेक्नोलॉजी) की प्रतिष्ठित परीक्षा में शामिल होते हैं, जिसमें केवल 5,000 ही सफल होते हैं। पिछले वर्ष उनमें से 30 तो गरीब राज्य बिहार के पटना शहर के एक ही कोचिंग सेंटर ‘सुपर 30’ के थे। हालाँकि सुपर 30 सेंटर के लिए यह 100 फीसदी परिणाम था। इस चमत्कार से जुड़ी एक और मजेदार बात यह भी है कि ये सभी छात्र बिलकुल गरीब तबके से आते थे और अन्य दूसरी तरह के पूर्णकालिक कोचिंग वहन नहीं कर सकते थे।”—टाइम, 24 मई, 2010 ‘टाइम’ ने आनंद को ‘टाइम रत्न’ पुरस्कार से सम्मानित कर उनके कोचिंग सेंटर को ‘बेस्ट क्रेम स्कूल, पटना’ कहा है।

क्रेम (cram) का शब्दकोशीय अर्थ है—एक छोटे से स्थान पर जबरन भरना या ठूँसना, बहुत ज्यादा भरना, परीक्षा के लिए कड़ा अध्ययन करना। वर्ष 2003 से यहाँ के कुल 240 छात्रों में से 212 का चयन एक आई.आई.टी. संस्थान में हुआ है। इसके एक स्नातक ने बताया, “लोग, जो हमें कभी पहचानते भी नहीं थे, अब हमारा मुसकराहट के साथ स्वागत और सम्मान करते हैं।” आनंद को

प्रधानमंत्री मनमोहन सिंह द्वारा भी सम्मानित किया गया है, जो प्रतिभाशाली ग्रामीण बच्चों हेतु एक राष्ट्रीय कार्यक्रम के दौरान उनसे मिले। भारत में जहाँ हम बच्चों को आधारभूत शिक्षा भी नहीं दे पाते, वहीं आनंद जैसे शैक्षणिक गुरु उत्कृष्टता के उदाहरण प्रस्तुत कर रहे हैं। आनंद का 'सुपर 30' सेंटर इस बात का उदाहरण है कि यदि मानव क्षमता को प्रयोग में लाया जाए तो भला क्या संभव नहीं है! सन् 1994 में आनंद को गणित में आगे की पढ़ाई करने के लिए कैंब्रिज जाने का अवसर मिला; किंतु उनके पिता, जो पी.एम.टी. में कर्मचारी थे, उस खर्च को वहन करने में समर्थ नहीं थे। किंतु इससे आनंद का उत्साह कम नहीं हुआ और उन्होंने गरीब छात्रों को अपना प्रिय विषय गणित पढ़ाकर आई.आई.टी. के लिए तैयार करने का बीड़ा उठा लिया। जहाँ चाह है वहाँ एक दृढ़ निश्चयी व्यक्ति राह की तलाश कर लेता है। इन छात्रों को वे आश्रय व भोजन की सुविधा उपलब्ध कराते हैं। इस कार्य में उनकी माँ बच्चों के लिए भोजन तैयार कर तथा भाई प्रशिक्षण संस्थान के प्रशासन में मदद करके सहयोग देते हैं। भारत तेजी से आगे बढ़ रहा है और आनंद की तरह के उद्यमी पटना, कोटा एवं कुछ अन्य जगहों पर आश्चर्यजनक कार्य कर रहे हैं।

❑

ANANDRATHI
behind every successful investor

आनंद डी.सी.एम.

"स्टेशनरी दुकानदार के बेटे होने से लेकर बी.एस.ई. के प्रेसीडेंट और उसके बाद सबसे बड़े वित्तीय सेवा ग्रुप के संस्थापक एवं चेयरमैन होने तक।"

राजस्थान (जोधपुर) के एक छोटे से स्टेशनरी दुकानदार व मिष्टान्न भंडार के मालिक नंद किशोर राठी की तीन बेटियाँ व दो बेटे हैं। बड़े बेटे आनंद और उनसे 10 वर्ष छोटे बेटे सुरेश हैं। सभी को अच्छे मूल्यों की सीख मिली। दोनों बेटों को चार्टर्ड एकाउंटेंसी का पाठ्यक्रम पूर्ण करने के लिए प्रोत्साहित किया गया। परिवार की सात पीढ़ियों में उन्हें ही सबसे पहले शिक्षा ग्रहण करने का श्रेय जाता है।

आनंद डी.सी.एम. से अपने कॅरियर की शुरुआत करके पाँच वर्ष तक सेवारत रहे। तत्पश्चात् दो वर्षों तक उन्होंने स्वदेशी पॉलीटेक्स लिमिटेड में कार्य किया। सन् 1974 में वह इंडियन रेयन (आदित्य बिड़ला ग्रुप) से जुड़कर रेयन फिलामेंट, टेक्सटाइल्स, सीमेंट, केमिकल्स इत्यादि उद्योगों में वरिष्ठ प्रबंधन के पदों पर दो दशक तक कार्यरत रहे। बिड़ला ग्लोबल फाइनेंस और बिड़ला म्यूचुअल फंड के

माध्यम से उन्होंने ग्रुप में वित्तीय सेवाओं की पहल भी की। सन् 1994 में उन्हें बॉम्बे स्टॉक एक्सचेंज (बी.एस.ई.) की सदस्यता प्राप्त हुई और 1999 में वह इसके अध्यक्ष भी बन गए। बी.एस.ई. अध्यक्ष पद के कार्यकाल के दौरान अमेरिकन प्रेसीडेंट बिल क्लिंटन और अटल बिहारी वाजपेयी जैसी हस्तियाँ उसके अस्तित्व के 125 वर्षों के दौरान पहली बार बी.एस.ई. पहुँचीं।

आज वह आनंद राठी ग्रुप (ए.आर.जी.) ऑफ कंपनीज का नेतृत्व कर रहे हैं। यह भारत का सर्वाधिक तीव्र गति से बढ़ रहा पूर्ण सेवा सुरक्षा प्रतिष्ठान है, जहाँ धन प्रबंधन, निवेश बैंकिंग, कॉरपोरेट फाइनेंस एंड एडवाइजरी, इक्विटीज, कॉमोडिटीज, म्यूचुअल फंड और बीमा के क्षेत्रों में दलाली व वितरण का व्यवसाय संचालित है। ए.आर.जी. ग्रुप भारत में 300 से ज्यादा स्थानों पर अपनी उपस्थिति बनाए हुए है। साथ ही बैंकॉक, हांगकांग, दुबई, ब्रिटेन. और अमेरिका में इसके प्रतिनिधि कार्यालय/ एसोसिएट कंपनियाँ हैं।

ऑल इंडिया चार्टर्ड एकाउंटेंट्स इग्जामिनेशन (परीक्षा) 1966 में वह स्वर्ण पदक धारक रहे हैं। बहुत से परोपकारी कार्यों एवं कॉरपोरेट सोशल रिस्पॉन्सिबिलिटी में की जानेवाली पहलों में उनकी सक्रिय भागीदारी रहती है।

संपादक की राय में युवाओं को आनंद की तरह उत्कृष्ट शिक्षा हासिल कर उद्यमीय ऊर्जा का विकास करना चाहिए। 48 वर्ष की उम्र तक (1994) वह एक पेशेवर कर्मचारी रहे। तदुपरांत एक सफल उद्यमी बन गए। इसी सिद्धांत को उन्होंने अपने लिए भी अपनाया है। वे सभी व्यावसायिक रूप से सुशिक्षित एवं योग्य हैं और बड़े व्यवसायी के रूप में पहचान रखते हैं। उनके सुपुत्र अमित सी.एस. व एन.वाई.यू. से एम.बी.ए. होने के अलावा ए.आर.जी. के प्रबंध निदेशक हैं।

❑

आनंद महिंद्रा

"मैं जो कुछ भी हूँ, शिक्षा के कारण हूँ। मुझे अपने स्कूल पहुँचने के लिए लंबी दूरी चलकर तय करनी होती थी। मैंने घासलेट की धीमी लौ की रोशनी में पढ़ाई की है।"

—मनमोहन सिंह, भारत के प्रधानमंत्री

आनंद भारत की सर्वाधिक बड़ी कंपनियों में से एक के संस्थापक के.सी. महिंद्रा के पौत्र हैं। सन् 1997 में आनंद 'महिंद्रा एंड महिंद्रा' के प्रबंध निदेशक बन गए और 2003 में चेयरमैन बने। मेरे विचार से उनकी यह उपलब्धि उनकी अपनी खूबियों के कारण थी, जो उनके प्रलोभनों पर नियंत्रण एवं अच्छी शिक्षा के रूप में थी। उन्होंने हार्वर्ड कॉलेज से स्नातक की उपाधि ली और वर्ष 1981 में हार्वर्ड बिजनेस स्कूल से एम.बी.ए. की डिग्री हासिल की। वे एक्जीक्यूटिव असिस्टेंट के रूप में कंपनी से जुड़े और आगामी वर्षों में पदोन्नतियाँ प्राप्त करते रहे।

पारिवारिक व्यवसाय के मालिकों के लिए एक अच्छी बात। इस पर विचार कीजिए। पारिवारिक व्यवसाय के स्वामित्वधारी बच्चों के लिए स्वयं अपनी एवं दुनिया की नजर में आत्मसम्मान एवं आत्मविश्वास कायम रखने के लिए उत्कृष्ट शिक्षा पाना आवश्यक है।

महिंद्रा एंड महिंद्रा एक विविध विस्तारवाली कंपनी है, जो आई.टी. सेवा उपलब्ध कराती है, मोटर वाहन तैयार करती है, रिजॉर्ट्स का स्वामित्व रखती है इत्यादि। वह डेवास के प्रति समर्पित है एवं पिछले वर्ष हुई मीटिंग में उन्होंने संयुक्त अध्यक्षता की। उन्हें ई.टी. के 'बिजनेस लीडर ऑफ दि ईयर' अवार्ड से सम्मानित किया गया। व्यावसायिक पुरस्कार जीतना उनकी आदत-सी बन गई है। उन्हें इंडियन इंटरप्रेन्योर ऑफ दि ईयर अवार्ड 2009 हेतु अर्नेस्ट एंड यंग ऑडिट एंड कंसल्टेंसी फर्म द्वारा नामांकित किया गया था। मोंटी कार्लो मोनेको में आयोजित ई.एंड व्हाई विश्व उद्यमी पुरस्कार प्रतियोगिता में उन्होंने भारत का प्रतिनिधित्व किया।

मैं उनकी विशेष उपलब्धि की चर्चा करना चाहूँगा कि महिंद्रा एंड महिंद्रा विश्व की सर्वाधिक ट्रैक्टर बेचनेवाली कंपनी बन गई है। 'वॉल स्ट्रीट जर्नल' द्वारा हाल ही में जारी सर्वोच्च प्रवर्तन की सूची में महिंद्रा ट्रैक्टर्स का नाम चोटी की 10 कंपनियों में सम्मिलित है। महिंद्रा ग्रुप का विक्रय 30,000 करोड़ रुपए के लगभग है। *'इंडिया टुडे'* के 22 मार्च, 2010 के अंक में प्रकाशित हाई एंड माइटी पॉवर लिस्ट 2010 की सूची में उन्हें 10वीं वरीयता प्राप्त हुई। मेरे विचार से भारत के उद्यमी पौत्रों में उनका सर्वोच्च पाँच में स्थान हो सकता है।

❑

आर.एस. गोयनका एवं आर.एस. अग्रवाल–इमामी ग्रुप

"किसी भी विचार का प्रभाव समाज पर बेहतरी की दिशा में होना चाहिए। इससे लोगों की जीवन शैली में बदलाव आना चाहिए।"

इमामी उद्यमिता की एक ऐसी कहानी है, जिसकी प्रेरणा से कर्मचारी एक दिन उद्यमी बन सकता है। बिड़ला ग्रुप के वातानुकूलित आरामदायक वातावरण में 8 घंटे काम करनेवाले बचपन के दो मित्रों आर.एस. अग्रवाल और आर.एस. गोयनका ने सन् 1974 में उद्यम के चुनौती भरे मार्ग पर चलने का फैसला किया। 20,000 रुपए की पूँजी और आयुर्वेद के आधुनिक प्रबंधन एवं निर्माण तकनीकों तथा बिड़ला ग्रुप से मिले अनुभव के दृष्टिकोण के साथ उन्होंने कोलकाता में इमामी कॉस्मेटिक उत्पाद एवं आयुर्वैदिक औषधि निर्माण कार्य प्रारंभ किया।

इन उद्यमियों ने रिक्शे पर सवार होकर दुकान–दुकान जाकर अपने उत्पादों का प्रचार शुरू किया। उनकी लगन, हरकत में बरकत और घूम–घूमकर किए

जाने वाले प्रबंधन से उनके उत्पादों ने बाजार में जोर पकड़ लिया। इमामी महिलाओं को ख्वाब बेच रही थी और आज पुरुषों को भी—और शेष इन उद्यमियों की उद्यमिता ने कर दिखाया। इन उद्यमियों ने यह भाँप लिया कि अच्छे विज्ञापन और विक्रय प्रोत्साहन से अच्छे उत्पाद धीमी गति से बिकते हैं और गुणवत्ताहीन उत्पाद शीघ्र ही समाप्त हो जाते हैं। चूँकि उन्हें अपने उत्पादों के प्रति विश्वास था, उन्होंने टी.वी., रेडियो पर अमिताभ बच्चन एवं शाहरुख खान की मदद से इनके विपणन पर अपना ध्यान केंद्रित किया। जीवन में ऐसा होता है, जब किसी व्यक्ति में शिष्य की योग्यता आ जाती है तो उसे गुरु मिल जाता है। इमामी ऊँचाइयाँ छूने के लिए तैयार ही थी कि तभी यह हुआ कि एक 100 वर्ष पुरानी कंपनी 'हिमानी' को बेचे जाने की पेशकश की गई। दोनों उद्यमियों ने अपने चरित्र, ख्याति और प्रतिष्ठा अर्थात् सी.जी.आर. (कैरेक्टर, गुडविल और रेपुटेशन) से इसके संसाधनों का प्रयोग करने के लिए इसे खरीद लिया और शीघ्र ही इसे एक लाभदायक कदम सिद्ध कर दिया।

वातावरण एवं समाज के प्रति पूरी निष्ठा से योगदान देने का इमामी का मिशन सामाजिक मुद्दों के प्रति इसके झुकाव के कारण अपेक्षाकृत ज्यादा मानवीय बन पड़ता है। एक जिम्मेदार कॉरपोरेट सदस्य के रूप में इमामी पश्चिम बंगाल और इसके आस-पास के क्षेत्रों में सामाजिक रूप से सार-युक्त परियोजनाओं में लगातार निवेश करती है। कंपनी की कॉरपोरेट सामाजिक जिम्मेदारी (सी.एस.आर.) के एक भाग के रूप में बेरोजगार ग्रामीण युवकों के लिए इमामी मोबाइल ट्रेडर्स एवं स्मॉल विलेज शॉप्स की तरह कंपनी ने कई स्वरोजगार योजनाओं को लागू किया है।

❑

आर. त्यागराजन

"हम उपक्रम एवं उद्यमिता को बढ़ावा देने में यकीन करते हैं।"

यह समूह (श्रीराम ग्रुप) द्वारा संगठन के भीतर एवं बाहर उद्यमियों को तैयार करने का अपना नायाब तरीका है। चेन्नई आधारित इस समूह का लाभ वर्ष 2004 के 83 करोड़ रुपए से बढ़कर 2008 में 834 करोड़ रुपए हो गया। इसी वर्ष इस समूह की कुल परिसंपत्ति 7,390 करोड़ रुपए आँकी गई। इनके विज्ञापन ऐसे लोगों के लिए काफी प्रोत्साहक एवं प्रेरणास्पद हैं, जो उद्यमी बनने की चाह रखते हैं।

बेहतर प्रत्याशा में लुधियाना छोड़ते समय सरदार केवल सिंह के पास ट्रक चालन का अनुभव एवं कृषि उत्पादों के यातायात की देश भर में अच्छी माँग होने का सकारात्मक अनुमान ही था। किंतु उनके पास न तो एक भी ट्रक था, न ही ट्रक खरीदने के लिए आवश्यक धन। वे विभिन्न वित्तीय कंपनियों की खाक छानते रहे, लेकिन कामयाब नहीं हुए। तभी उन्होंने श्रीराम फाइनेंस कंपनी के बारे में सुना। वहाँ संपर्क करने पर कंपनी के प्रबंधक ने उनसे असंबद्ध सवाल न करते हुए एक जमानतदार के आधार पर ऋण स्वीकृत करने की प्रक्रिया आरंभ कर दी और व्यवसाय को सफलतापूर्वक आगे बढ़ाने के गुर सुझाए।

विगत वर्षों के दौरान सरदार केवल सिंह ने पुराने ट्रकों के इंजिनों की रिकंडिशनिंग, नए ट्रकों को खरीदने एवं अपने बच्चों की शिक्षा के लिए व्यक्तिगत ऋणों हेतु 'श्रीराम' की सहायता ली है। आज इस बात पर कोई आश्चर्य नहीं कि

वे एक बड़े व्यवसाय के प्रमुख हैं और बड़े विश्वास के साथ व्यवसाय सँभालने के लिए इंग्लैंड से अपने बेटे के लौटने का इंतजार कर रहे हैं।

श्रीराम की आय का बड़ा हिस्सा वित्तीय सेवाओं, ट्रक फाइनेंस से आता है। भारतीय सड़कों पर दौड़नेवाले प्रत्येक पाँच में से एक ट्रक की वित्त व्यवस्था उनके द्वारा की जाती है। उनके अनेक दूसरे व्यवसाय—उपभोक्ता ऋण, चिटफंड, बीमा, सूचना तकनीकी, रॉयल्टी एवं इंजीनियरिंग भी हैं। उनका उत्साह उद्यमियों को प्रोत्साहित करने में है और वर्षों से वे यही करते रहे हैं। अब उन्होंने इसे एक औपचारिक रूप दे दिया है। वर्ष 2006 में उन्होंने एक न्यास का गठन किया है, जिसके अंतर्गत उनके प्रबंधक जो अपना सफल योगदान देकर उनकी कामयाबी को संभव बनाते हैं, वे लाभांश प्राप्त करेंगे और न्यास में साझेदार रहते हुए एक दिन स्वयं उद्यमी बन जाएँगे। उद्यमिता विकास के लिए 500 करोड़ रुपए की राशि निर्धारित की गई है, जिसमें 1,50,000 महिलाओं को गरीबी से छुटकारा दिलाने हेतु माइक्रो क्रेडिट (सूक्ष्म वित्त) व्यवस्था भी सम्मिलित है।

❑

Yo!China

आशीष कपूर

"अपने व्यवसाय की शुरुआत करने का विचार मेरे मन में तब आया जब मैंने पाउलो कोयलो की पुस्तक 'अलकेमिस्ट' पढ़ी। इस पुस्तक से मुझे भारत लौटकर एक व्यवसाय शुरु करने उसे एक अच्छा ब्रांड बनाने की प्रेरणा मिली।"

भारत में प्रतिदिन उद्यमीय चमत्कार हो रहे हैं। मैं इन्हें देखकर परख सकता हूँ, इसलिए मीडिया में इन्हें देखकर इनकी व्याख्या करना मेरा शौक बन गया है। आशीष ने अमेरिका के जी.ई. कैपिटल में दो वर्षों तक काम किया। तदुपरांत भारत आने का सर्वाधिक बुद्धिमत्तापूर्ण निर्णय लिया। मजे की बात है कि वह सिक्स सिग्मा क्वालिटी ब्लैक बेल्ट हैं। उन्होंने क्वालिटी चाइनीज फूड सेंटर 'यो! चाइना' स्थापित किया।

6 पेशेवरों की टीम के साथ 'यो! चाइना' भारत की पहली और सबसे बड़ी फास्टफूड श्रृंखला है, जिसका स्वामित्व मूड्स हॉस्पिटैलिटी प्राइवेट लिमिटेड गुड़गाँव का है। 'यो! चाइना' का विशिष्ट व्यंजन डिमसम है, जिसे इसके द्वारा 1 करोड़ की

तादाद में बेचे जाने का दावा किया जाता है। औसत तौर पर लगभग 6 लाख अतिथि प्रति माह यहाँ आते हैं। इसे अलावा 2 लाख से अधिक घरों एवं कार्यालयों के भोजन की आपूर्ति यहाँ से की जाती है। देश के 14 शहरों में इसके 45 रेस्टोरेंट, 2 डिलीवरी स्टोर और 35 रोडसाइड कार्ट्स हैं।

भारत में मुख्यत: तीन प्रकार के भोजन प्रचलित हैं—उत्तर भारतीय, दक्षिण भारतीय और चाइनीज। इस ग्रुप ने चाइनीज फूड को चुनकर इसमें विशिष्टता हासिल की। हर महीने यह अपने विशेषज्ञ रसोइयों को चीन, थाईलैंड, सिंगापुर और इंडोनेशिया भेजता है, ताकि वे अपने ज्ञान को नवीनतम कर सकें और प्रवर्तन व रचनात्मकता के प्रयोग से भारतीय भोजन में उसका समन्वय कर सकें। ऐसे उद्यमी, जो इससे बड़े स्तर पर फायदा उठा सकते हैं, वे प्रतियोगिता में आगे बने रहने के लिए स्वयं की यू.एस.पी. विकसित कर लेते हैं। इसमें फायदा अच्छा होता है, इसलिए वे लागत कम करके गुणवत्ता पर सुधार कर सकते हैं। आज के युवाओं की जीवन-शैली के मद्देनजर वे डिलीवरी व्यवसाय पर ध्यान केंद्रित कर रहे हैं, जिसमें लाभ का मार्जिन अच्छा तो है, बशर्ते सर्विस त्वरित और शर्तहीन रहे। वे परामर्शदाताओं की बखूबी सुनते हैं, तदनुसार अपनी विस्तार योजनाओं पर कार्य करते हैं। उन्होंने उत्तर ब्रांड बनाने की व्यवस्था कर ली है और इसके आगे अपेक्षाकृत ज्यादा कठिन कार्य शुरू होता है—उसी स्तर पर बनाए रखना और निरंतर आगे बढ़ते जाना। जीवन की कोई भी सफलता हमेशा फिसलनेवाले ढलान पर ही मिलती है। शाबाश! आशीष एंड टीम।

❑

इंदु जैन

"पैसा किसी से छीनकर नहीं मिलता। अगर आपके पास उसे पाने की दृढ़ता है तो ईश्वर आपको उससे भर देगा। एक गरीब आदमी इसलिए गरीब है, क्योंकि वह मान रहा है कि वह गरीब है, अन्यथा वह मिट्‌टी को सोना बनाने की क्षमता रखता है।"

भारत का विशालतम मीडिया समूह बेनेट, कोलोमन ऐंड कंपनी की चेयरमैन इंदु जैन एक उद्यमी, शिक्षाविद्, अध्यात्मवादी, मानवतावादी होने के साथ ही कला एवं संस्कृति की संरक्षक भी हैं। 'फोर्ब्स' पत्रिका के अनुसार 77 वर्षीय इंदु जैन विश्व की 2010 के अरबपतियों की सूची में 317वीं और भारत की 20वीं अमीर महिला हैं। उनकी अनुमानित संपत्ति 2.68 अरब डॉलर है।

8 सितंबर, 1936 को फैजाबाद, उ.प्र. में जनमी इंदु जैन को भारत के

उद्योगपति परिवार साहू जैन से धन-संपदा विरासत में मिली। साहू जैन का परिवार उ.प्र. के बिजनौर जिले के शहर नजीबाबाद से संबद्ध था। उन्होंने अशोक कुमार जैन से विवाह किया। वे दो पुत्रों समीर जैन और विनीत जैन की माँ हैं। समीर जैन टाइम्स ऑफ इंडिया के चेयरमैन और विनीत जैन मैनेजिंग डायरेक्टर हैं।

टाइम्स ग्रुप को ब्रिटेन की एक कंपनी से साहू परिवार ने अधिगृहीत किया था। इस ग्रुप के 11 प्रकाशन केंद्र, 15 प्रिंटिंग सेंटर, 55 सेल्स ऑफिस और 7,000 से अधिक कर्मचारी हैं। 5 दैनिक, 2 मुख्य पत्रिकाएँ, 2,468 शहरों व नगरों में पहुँचनेवाली 28 अन्य पत्रिकाएँ, 32 रेडियो स्टेशन, 2 टी.वी. न्यूज चैनल, 1 टी.वी. लाइफ स्टाइल चैनल और 700 करोड़ अमेरिकी डॉलर से अधिक का टर्नओवर है।

'अंतरराष्ट्रीय लाइफटाइम एचीवमेंट अवार्ड' से सम्मानित इंदु जैन टाइम्स फाउंडेशन की संस्थापक और 'भारतीय ज्ञानपीठ फाउंडेशन' की चेयरपर्सन भी हैं। साधारण ढंग से रहनेवाली व सादगी-पसंद इंदु जैन की छवि एक ताकतवर और तड़क-भड़कवाली महिला के बजाय सौम्यता की प्रतिमूर्ति के रूप में अधिक है, जिनके मुखमंडल पर शांत भाव और एक अनोखा तेज छाया रहता है। उनके लिए ताकत का अर्थ है—'लोगों का उनके मिशन को स्वीकृति देना और कार्य को प्रसन्नता एवं उत्साह से करना।' उनके मार्गदर्शन में चलनेवाले टाइम्स फाउंडेशन ने विकास के क्षेत्र में दिए गए अपने योगदान व गतिविधियों के लिए अंतरराष्ट्रीय स्तर पर ख्याति अर्जित की है। टाइम्स फाउंडेशन बाढ़, भूकंप, महामारियों जैसी आपदाओं के लिए सामुदायिक सेवाएँ, रिसर्च फाउंडेशन और टाइम्स राहतकोष चलाता है। वे फिक्की की महिला शाखा (एफ.एल.ओ.) की संस्थापक अध्यक्ष भी हैं।

इतने बड़े पद और गरिमामय व्यक्तित्व की स्वामिनी होने के बावजूद इंदु जैन को अहंकार छू तक नहीं गया। कंपनी में जहाँ भी कहीं विवाद की स्थिति उत्पन्न होती है, वे उसे सुलझाने को हमेशा तैयार रहती हैं—चाहे वह समस्या मजदूरों से जुड़ी हो या किसी उच्च अधिकारी से। जहाँ भी संवादहीनता की स्थिति आ जाती है, वे बीच में आकर अवश्य ही उसे सुलझाती हैं।

श्रीश्री रविशंकर और जगद्गुरु जग्गी वासुदेवन की शिष्या इंदु जैन ने अपनी सारी आध्यात्मिक, सांस्कृतिक व सामाजिक संवेदनशीलता अपने समूह की सफलता

एवं विकास में लगा दी। वर्षों तक गृहिणी की भूमिका का निर्वाह करते रहने के बाद इतने बड़े कार्यभार को सँभालना सरल नहीं था, लेकिन इसे उन्होंने बखूबी कर दिखाया। उनका मानना है कि काम ने उनके लिए पूर्णतया अलग आयाम खोल दिए हैं।

❑

PEPSICO

इंद्रा के. नूई

"वह ऐसे उत्पादों पर अपना ध्यान केंद्रित कर रही हैं, जो आपके लिए बेहतर हों, अच्छे हों, न कि खिलवाड़।"

नूई आई.आई.एस.सी. की एक औसत दर्जे की छात्रा थी, किंतु अपने उद्यमीय कौशल से आज वह जो है, वह बन सकी। अर्थात् मृदुभाषी, चेन्नई में जनमी, वह आज पेप्सी (अमेरिका) की प्रमुख हैं। उनका वर्तमान वेतन 23 करोड़ रुपए सालाना है, जबकि इसमें अन्य सुविधाएँ जैसे निजी हवाई जहाज और 101 दूसरी सुविधाएँ शमिल नहीं हैं। 50 वर्ष पहले उन्हें सुबह 5 बजे उठकर स्कूल जाने से पहले दो बालटी पानी भरना होता था। भारत में आज कुछ भी संभव है। फिर भले ही आप एक लड़की क्यों न हों। मैं इसे ओबामा जैसी सफलता करार देता हूँ। उन्हें 'फोर्ब्स इंडिया' की शक्तिशाली महिलाओं की सूची में चौथे स्थान पर रखा गया है, जबकि सोनिया गांधी को तेरहवें स्थान पर। यह पेप्सी महिला पेप्सी में और ज्यादा भारतीयता का समावेश करेगी। वह भारत को पेप्सी के उत्पादों का निर्माण करने की प्रक्रिया के केंद्रों में से एक बनाना चाहती है। सौभाग्यवश समय भी उनके पक्ष में है, क्योंकि अभी वह प्रारंभिक पचासवें के दशक में ही हैं। बेशक कोक एक

मूक दर्शक ही नहीं बना रहेगा। उनकी भलाई, हमारी भलाई और भारतीय उद्यमियों की भलाई–दोनों हाथ में लड्डू। इस दुनिया में प्रतियोगिता इसलिए तो है। पेप्सी इंडिया ने एलिवा नामक एक स्वस्थ स्नैक्स पेश किया है, जो कि भारतीय बाजार की बिस्कुट परंपरा से जरा हट के है। इसे भुने हुए गेहूँ और चना दाल के मिश्रण से तैयार किया गया है और इसीलिए कुरकुरे जैसे चावल व मक्के से बने तले हुए स्नैक्स की अपेक्षा यह स्वास्थ्यकर भी है। इससे खासकर व्यक्तिगत स्तर पर मैं खुश हूँ, क्योंकि मेरी 9 वर्षीया बेटी अनन्या कुरकुरे की बहुत शौकीन है; लेकिन अब एलिवा खरीद कर देने से ही वह काफी खुश रहती है। जहाँ तक 'आपके लिए बेहतर, आपके लिए अच्छा' बनाम 'आपके लिए खिलवाड़' की बात है तो पेप्सी की कथनी और करनी में फर्क नहीं है। यह हमें देखने को मिला, जब पेप्सी इंडिया ने निंबूज नींबू पेय को बाजार में उतारा। पेय उत्पादों में ट्रॉपिकाना ब्रांड ऑफ जूस के बाद यह दूसरी पहल है। हमारे लिए अपेक्षाकृत स्वास्थ्यवर्धक भोजन हेतु पहल करने के लिए हमारी पेप्सी महिला को धन्यवाद। सामाजिक दायित्व व्यवसाय के आचरण को प्रोत्साहित करने के लिए उन्हें ग्लोबल सप्लाई चैन लीडर्स ग्रुप द्वारा 'सी.ई.ओ. ऑफ द ईयर' का अवार्ड दिया गया है।

❑

ई. श्रीधरन

"शहर की लगभग संपूर्ण उपमार्ग व्यवस्था की भागमभाग सफलता, जिसे मेट्रो के नाम से जाना जाता है, एक चमत्कारिक उपलब्धि है।"

दिल्ली मेट्रो शहरी भारत से जुड़ी प्रत्येक घिसी-पिटी धारणा को चुनौती दे सकती है। यह एकदम स्वच्छ, परिपूर्णतापूर्वक रख-रखाव से युक्त एवं बिलकुल समयनिष्ठ है।

इसकी कारें नवीनतम मॉडल की, वातानुकूलित एवं यात्रियों के मोबाइल व लैपटॉप को चार्ज करने की विद्युतीय सुविधाओं से युक्त हैं। शहरी यातायात विशेषज्ञों का कहना है कि संकेतक एवं अन्य संरक्षा तकनीकी प्रथम दर्जे की एवं इसकी प्रणाली विश्व भर में सर्वोत्तम है। सस्ती किराया दरों- निकटतम दूरी के लिए 20 प्रतिशत से कम और अधिकतम दूरी के लिए 67 प्रतिशत से कम के बावजूद यह फायदे में चल रहा है।

एक ऐसे देश में, जहाँ सरकारी परियोजनाएँ निर्धारित समय से पिछड़ जाती हैं, "बजट कम पड़ जाता है। मेट्रो अपनी निर्धारित अवधि (नवंबर) तक 118 मील का नेटवर्क 6.55 मिलियन डॉलर के बजट से पूर्ण करने जा रही है।"

"स्वतंत्रता-प्राप्ति के पश्चात् से दिल्ली मेट्रो महत्त्वाकांक्षी शहरी अधोसंरचना परियोजना है। भारत जैसे देश में, जहाँ शहरी आपदा की आशंका बनी रहती है, इसके विकास की बारीकी से देख-रेख की गई है। चीन एवं अन्य विकासशील देशों के विपरीत भारत अधिकतर ग्रामीण देश ही बना हुआ है।"

इसकी सफलता का ज्यादातर श्रेय दिल्ली मेट्रो निगम के प्रबंध निदेशक पद पर सेवारत 77 वर्षीय ई. श्रीधरन को दिया जाता है। मिस्टर श्रीधरन अपने निर्माता हैं। वे ईमानदारी के लिए विख्यात हैं। मेट्रो में उन्होंने पेट्री व्यंजनों का निजी व्यवसाय भी प्रारंभ करने की कोशिश की है। ये व्यंजन भारतीय दफ्तरशाही की विशेष पसंद हैं।

इसमें लाए गए कुछ परिवर्तन साधारण किंतु भारतीय मानक में क्रांतिकारी लगते हैं। अधिकारियों का कहना है कि मेट्रो ने इसके पेरोल को मितव्ययी एवं प्रबंध संरचना को संभवत: साधारण रखकर अपना कार्य काफी कम कर लिया है। अपने अधिकतर कार्य इलेक्ट्रॉनिक तकनीकों की मदद से करके उन्होंने भारतीय नौकरशाही की प्रतीकात्मक धागे से बाँधी जानेवाली कागज की फाइलों के प्रयोग से छुटकारा पा लिया है।

❑

एन.आर. नारायण मूर्ति एवं सुधा मूर्ति

"मैं एक ऐसे परिवार से आया हूँ, जिसमें ज्यादातर लोग शिक्षक हैं। हम 8 भाई-बहन थे, निम्न-मध्यम वर्गीय। हमने शिक्षा पर अत्यधिक ध्यान दिया है।"

नारायण और सुधा ने रोजगार बढ़ाने तथा गरीबी में कमी लाने की दिशा में युवा विचारों के कार्यान्वयन हेतु वित्तीय सुविधा उपलब्ध कराने की दिशा में कदम उठाया है।

अभी उनकी निजी संपत्ति 2 अरब डॉलर की है। 60 वर्ष की अवस्था में सेवानिवृत्त होने के पश्चात् अब 62 वर्ष की आयु में वे अपने धन का एक भाग त्याग कर नवोदित उद्यमियों के लिए और धन सृजन करना चाहते हैं। आखिर वे अपना धन कहाँ खर्च करें? क्योंकि उनके दोनों बच्चे सुशिक्षित हैं—बेटा हार्वर्ड विश्वविद्यालय से पी-एच.डी. कर रहा है, जबकि बेटी ने स्टैनफोर्ड से एम.बी.ए. की डिग्री ले रखी है। भई वाह! सुधाजी हीरे जड़ी चूड़ियों की जगह काँच की चूड़ियाँ पहनती हैं और मूर्तिजी होंडा कार में सवारी करते हैं। उनके पास जेट और यॉट नहीं है। 1,10,000 कर्मचारियों की संस्था के साथ एक सर्वेक्षण में इन्फोसिस

को नंबर वन की वरीयता पर रखकर *'बिजनेस टुडे'* 7 फरवरी, 2010 के अंक में उसे 'बेस्ट कंपनी टु वर्क फॉर' का पुरस्कार प्रदान किया गया है। सन् 1982 में कंपनी ने उनके शयनकक्ष से अपने व्यवसाय की शुरुआत की।

उन्होंने संयुक्त रूप से कैपिटल फंड को बढ़ावा दिया। वे बाहरी स्रोतों से पैसे न लेकर एक स्वामित्व कोष के मालिक हैं, जो मेरे विचार से 10 करोड़ डॉलर के यॉट के मालिक होने की अपेक्षा ज्यादा ऊँचाई प्रदान करता है। उनकी जैसी कथनी है वैसी ही करनी भी है। उन्होंने इन्फोसिस के अपने स्टॉक को बेचकर 600 करोड़ रुपए की राशि टेबल पर रख दी है। अच्छे व्यक्ति होने के कारण वे दोनों अपने पैसे से ही जोखिम उठाना चाहते हैं, क्योंकि वेंचर कैपिटल का व्यवसाय उनके लिए नया है। उनकी कंपनी का नाम 'कैटमारन' है, जिसका विचार उन्हें तब आया जब वर्ष 1974 में वह स्वयं से मन को झकझोरकर रख देनेवाले समय से गुजर रहे थे कि जिस तरह इस दुनिया को जैसा उन्होंने पाया था, उससे बेहतर कैसे बना सकते हैं? इसी उधेड़बुन के दौरान वह गरीबी की समस्या हल करने की दिशा में उद्यमिता पर अपना ध्यान केंद्रित कर सके। 'बेटर इंडिया, बेटर वर्ल्ड' एक उत्कृष्ट पुस्तक है, जिसे आप अवश्य पढ़ें।

मेरी यह निष्ठापूर्ण कामना है कि एक दिन मूर्ति को देश के राजदूत के रूप में अमेरिका भेजा जाएगा। अमेरिकी ऐसा करते हैं और हम भी एक नई प्रवृत्ति के रूप में इसे शुरू कर सकते हैं। उनसे मिलकर ओबामा खुश होंगे। ई.टी. के अप्रैल 2009 की 'द पॉवर लिस्ट 100' के वरीयता क्रम में उनका नाम तीसरे नंबर पर आता है। उनका कहना है, "पैसे की सही शक्ति उसके वितरण पर टिकी है।" निस्संदेह वह वर्ष 2010 के सर्वाधिक प्रशंसनीय भारतीय हैं।

❑

Oberoi Hotels & Resorts

एम.एस. ओबेरॉय

"महज एक क्लर्क से पाँच सितारा होटल संस्कृति का बादशाह एम.एस. (मोहन सिंह) ओबेरॉय।"

जब हममें से अधिकतर बहुराष्ट्रीय कंपनियों के बारे में अनभिज्ञ थे, तब आतिथ्य व्यापार के महान् अनुभवी रायबहादुर मोहन सिंह ओबेरॉय ने भारत के प्रथम बहुराष्ट्रीय संगठन की स्थापना की थी। सन् 1922 में अपनी पत्नी और बेटी को घर पर छोड़कर 24 वर्षीय मोहन सिंह तत्कालीन भव्य ग्रीष्मकालीन राजधानी शिमला पहुँचे। उन्होंने पी.डब्ल्यू.डी. विभाग में निम्न श्रेणी लिपिक की परीक्षा दी। किंतु परीक्षक ने उन्हें अनुत्तीर्ण कर दिया। उन्हें मालूम था कि असफलता और सफलता कभी भी स्थायी नहीं होती।

परिणाम से बुरी तरह टूटकर मोहन सिंह चहलकदमी करने मॉल पहुँचे, जहाँ उन्होंने एक भवन देखा, जिसे वे देखते ही रह गए। वह एक नौ-मंजिला भव्य इमारत थी। दृढ़ संकल्पित जवान ने काँच के दरवाजे को धकेलकर खोला और भीतर प्रवेश किया। वह सीधे रोबीले नजर आनेवाले एक अंग्रेज के नजदीक पहुँचा और कहा, "सर, मैं होटल उद्योग में अपना कॅरियर बनाना चाहता हूँ। मैं यहाँ किसी भी प्रकार का काम करने के लिए तैयार हूँ।" अर्नस्ट क्लार्क नामक उस

अंग्रेज ने उस स्मार्ट युवा की ओर देखा और कहा, ''हमारे यहाँ होटल में कोयला आपूर्ति का काम देखनेवाले क्लर्क की जगह खाली है। तनख्वाह 50 रुपए मासिक। इच्छा है?''

मोहन सिंह ओबेरॉय ने उस दिन अपने जीवन में सबसे बड़े स्वप्न होटल उद्योग को पूरा करने की दिशा में पहला कदम उठाया था। आगे चलकर उन्होंने भारत में पाँचसितारा होटल की संस्कृति की शुरुआत की। आप कितने अमीर या गरीब हैं, क्या इस बात का संबंध शिक्षा से है? नहीं। स्कूल छोड़ने के बाद आप क्या सीखते हैं, यही शिक्षा है? यह बात मोहन पर लागू हुई, जिन्होंने अपने बल पर ही हर साल ईंट-ईंट इकट्ठी करके शिक्षा हासिल की। वह हमेशा से मेरे हीरो रहे हैं। मेरे खयाल से उनकी कामयाबी की मिसाल हमारे बच्चों और हमें प्रेरणा देने के लिए सर्वोत्तम है। यदि आप उद्यमिता के विषय में जानकारी चाहते हैं तो उनके बारे में पढ़िए और सदा प्रोत्साहित बने रहिए। मैं तो हूँ।

उनके प्रति मेरा सम्मान—''इस जीवन में तुम्हें जो चाहिए, वह विश्वास है, फिर सफलता तो तय है।''

❑

किरण मजूमदार शॉ

"मात्र 10 हजार रुपए से किराए की एक गैरेज से अपनी उद्यम यात्रा शुरू कर टाइम मैगजीन के विश्व के 100 सर्वाधिक प्रभावशाली व्यक्तियों में स्थान पाने तक।"

वह प्रतिवर्ष 9,000 करोड़ रुपए 1,00,000 भारतीय ग्रामीणों के स्वास्थ्य बीमा हेतु दान करती हैं। उन्होंने 4,500 करोड़ रुपए की लागत से बेंगलुरु में 1,400 बिस्तरोंवाला मजूमदार शॉ कैंसर सेंटर का निर्माण कराया। इसमें शाम के समय गरीब मरीजों का इलाज किया जाएगा, ताकि दिन में वे काम करते हुए अपने परिवार का सहारा बने रहें। आत्मसम्मान व आत्मविश्वास का प्रतीक बन चुकी महिलाओं में उनका नाम अग्रणी है।

किरण पेशे से चिकित्सक बनना चाहती थीं, लेकिन वे प्रवेश परीक्षा में उत्तीर्ण नहीं हो सकीं। बियर निर्माण कार्य से जुड़े उनके बुद्धिमान पिता ने उन्हें समझाते हुए कहा, ''हर असफलता एक नया रास्ता खोलती है। असफलता को चुनौती

मानते हुए उससे पूरे जोश-खरोश से लड़ना सीखो। इससे तुम खुद को और भी ज्यादा दृढ़ महसूस करोगे।'' उन्हें विज्ञान विषय अच्छा लगता था और वह बियर निर्माण कार्य से जुड़ना चाहती थीं। किंतु उन्होंने पाया कि भारतीय कंपनियाँ महिलाओं को इस कार्य से जोड़ने की इच्छुक नहीं रहतीं।

इस पर उनके पिता ने उन्हें हौसला देते हुए कहा, ''याद रखो कि असफलता अस्थायी प्रकृति की होती है। किंतु अपने कर्मक्षेत्र से हट जाने का असर ही स्थायी होता है।'' यह एक आदर्श अभिभावक का कर्तव्य है।

उन्होंने अपने व्यवसाय की शुरुआत 10,000 रुपए की बैंक जमा पूँजी से एक किराए के एक गैरेज से की। तत्कालीन समय में लोग जैव तकनीकी से भलीभाँति परिचित नहीं थे, अतः उन्होंने इस क्षेत्र में एक प्रणेता की हैसियत से कदम रखा। उन दिनों लड़कियों की महत्त्वाकांक्षा माधुरी दीक्षित बनने की ज्यादा हुआ करती थी, न कि किरण मजूमदार बनने की। वजह थी कि उनका क्षेत्र तड़क-भड़क व चकाचौंध से दूर था। किंतु हममें से ज्यादातर लोग यह महसूस करना भूल जाते हैं कि एक अच्छी तड़क-भड़क 20 से 30 साल कठिन परिश्रम करने के पश्चात् मिली कामयाबी से तब आती है, जब हम अपने क्षेत्र में उत्साहपूर्वक काम करना उसी तरह सीख जाते हैं जैसे किरण ने बायो-साइंस के क्षेत्र में किया। उनके इसी उत्साह ने उन्हें आयरलैंड की कंपनी बायोकॉन बायोकेमिकल्स के साथ व्यावसायिक संबंध निर्मित करने के लिए स्व-प्रेरित किया। उन्होंने पपीते से एंजाइम निकालने से अपना व्यवसाय प्रारंभ करके भारत की सबसे बड़ी जैव-तकनीकी कंपनी बायोकॉन की स्थापना तक का सफर तय किया। वर्तमान में उनकी कंपनी अमेरिका और यूरोप में अपने उत्पादों का निर्यात कर रही है।

आज इस समूह में 3,600 कर्मचारी कार्यरत हैं, जिनमें से 46 प्रतिशत कर्मचारी और न्यूनतम स्नातकोत्तर डिग्रीधारी हैं। उन्हें अपनी पद्म भूषण हैं सम्मान से नवाजा गया है और अपने गुणों के कारण वे 10 जनपथ तक पहुँच रखती है। बंगलोर के अधोसंरचना और सी.एस.आर. क्रियाकलापों में नंदन नीलेकणी, विजय माल्या और नैना लाल किदवई के साथ वे सक्रिय रही हैं।

❑

किशन खन्ना

"भारत में रोजगार बढ़ाने तथा अद्योरोजगार के स्तर एवं गरीबी हटाने को लेकर व्यावसायिक शिक्षा और प्रशिक्षण के प्रति चेतना जगी है।"

भारत की शिक्षा-प्रणाली उलझन में हो सकती है···। जी हाँ! किंतु यदि आप शैक्षणिक उद्योग में सूर्योदय देखना चाहते हैं तो एजुकेशन वर्ल्ड के इसके व्यावसायिक शिक्षा व प्रशिक्षण के विशिष्ट रूपक लेख से, जिससे हम अभी तक कटे से रहे हैं, आप गद्गद हो उठेंगे। भारत में व्यावसायिक शिक्षा एवं प्रशिक्षण के प्रति जागृति कई कारणों से है—रोजगार बढ़ाना, गरीबी घटाना, नक्सली क्रूरता की आग का शमन करना। हजारों की संख्या में अपने कार्य में लगे उद्यमी—जिसमें काउंसिल ऑफ द बोर्ड ऑफ इंडस्ट्री गवर्नमेंट, चेंबर्स ऑफ कॉमर्स व इंडियन एकेडमियाँ भी सम्मिलित हैं—कुशल कर्मचारियों के अभाव का अनुभव कर रहे हैं।

आई वॉच फाउंडेशन के प्रमोटर किशन खन्ना सन् 1993 के बैच के आई.आई.टी. (खड़गपुर) हैं और इस उद्योग में उनका केरियर काफी सफल रहा है। उन्होंने भारत को चीन के मानक पर रखकर व्यावसायिक शिक्षण को बढ़ावा देने के लिए

उद्यम के क्षेत्र में कदम रखा। चीन में व्यावसायिक प्रशिक्षण में 9 करोड़ नामांकन है जबकि भारत में इसकी संख्या 35 लाख है। चीन में 5 लाख व्यावसायिक शिक्षा व प्रशिक्षण केंद्र हैं, जहाँ प्रतिवर्ष लगभग 9 करोड़ लोगों को कृषि एवं उद्योग से जुड़ी गतिविधियों में प्रशिक्षित किया जाता है। भारत के लगभग 17,000 केंद्रों में करीब 30 लाख लोगों को इन्हीं गतिविधियों में प्रशिक्षित किया जाता है। किशन का मानना है कि ग्रामीण भारत से प्रति पंचायत में एक की दर से हमें 2,50,000 व्यावसायिक शिक्षा प्रशिक्षण केंद्रों की आवश्यकता है। इस विषय पर उन्हें प्रकाशन की जानकारी के लिए आप www.wakeupcall.org पर लॉग ऑन कर सकते हैं। किशन का मानना है कि व्यावसायिक शिक्षा प्रशिक्षण के महत्त्व के प्रति हमें अपनी सोच को बदलने की आवश्यकता है। वह वर्ष 1945 के पश्चात् यूनाइटेड किंगडम में व्यावसायिक प्रशिक्षण और कौशल के लाभ को महसूस करने के कारण वहाँ आर्थिक विकास का उदाहरण प्रस्तुत करते हैं।

अब प्रमुख चेंबर ऑफ कॉमर्स—सी.आई.आई., एफ.आई.सी.सी.आई., ए.एस.एस.ओ.सी.एच.ई.एम. और पी.एच.डी. सी.सी.—ने व्यावसायिक रूप से व्यावसायिक शिक्षण-प्रशिक्षण के क्षेत्र में शासकीय उद्योग के विभिन्न विभागों के सदस्यों के साथ नई पहल की है। किशन i2k सॉल्यूशन के चेयरमैन भी हैं, जो कि कृत्रिम बुद्धिमत्ता के प्रयोग से उच्च तकनीकवाले इंटरनेट पर आधारित इंटरएक्टिव इ-टीचर एवं इ-ट्रेनर हैं। i2k द्वारा विकसित युक्ति वस्तुत: एक विश्वविद्यालय या स्कूल की तरह है, जो किसी भी विषय पर किसी भी इ-कंटेंट का परामर्श दे सकता है। यह छात्र-केंद्रित प्रणाली है। देखें www.i2k.com

❑

HAVELLS

कीमतराय गुप्ता

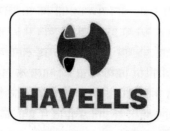

"हमारा दर्शन अपने आंतरिक एवं बाह्य ग्राहकों का ध्यान रखना तथा उनके साथ ब्रांड दर्शन को सुदृढ़ करना है।"

71 वर्षीय कीमतराय गुप्ता ने चाँदनी चौक (दिल्ली) के भगीरथ पैलेस में विद्युत् सामग्री की एक दुकान खोलकर अपने व्यावसायिक जीवन की शुरुआत की। उन्होंने यह कभी नहीं सोचा था कि वे एक दिन 2,000 करोड़ रुपए से अधिक के टर्नओवर के व्यवसायी बन जाएँगे। इसी का नाम तो उद्यमिता है, जो न केवल भाग्य बल्कि जोखिम प्रबंधन को दृष्टिगत रखते हुए सही समय पर सही निर्णय से सफल होती है। वह पंजाब के एक सामान्य से शिक्षक थे, जिन्होंने हवेलीराम गांधी से हैवल्स ब्रांड खरीद लिया। एक व्यापारी से वह ऊर्जा मीटर, विद्युत् बटन, केबल, तार इत्यादि के निर्माता बने।

उनके पुत्र अनिल अमेरिका से बी.कॉम. और एम.बी.ए. करने के पश्चात् अपने पिता के व्यवसाय में सम्मिलित हुए। उन्होंने बड़ी सरलता से अपने पिता की कार्यशैली में अपनी कार्यशैली मिला दी और शायद उनके पिता ने भी ऐसा ही किया। बहुत सी पिता और पुत्र की टीमों को उनसे यह सीख लेनी चाहिए कि इतनी जल्दी उन्होंने इतनी बड़ी सफलता कैसे हासिल कर ली। यह पिता और पुत्र की टीम के कार्य का दृष्टिकोण है, जिससे इतनी बड़ी सफलता संभव हुई। जब सही दृष्टिकोण बनाम दकियानूसी, जो कि ज्यादा आम होता है की स्थिति हो, जब आपके द्वारा विकसित व्यावसायिक व्यूह रचना जमीनी स्तर पर प्रभावी एवं अर्थपूर्ण

हो, तभी ऐसी सफलताएँ संभव होती हैं। जब जर्मनी की हैवल्स ने व्यवसाय से बाहर होने का फैसला लिया तो गुप्ता परिवार ने उसे अधिगृहीत करना तय किया। एक औद्योगिक हस्ती से उन्होंने पंखे जैसी विद्युतीय उपभोक्ता सामग्री के व्यवसाय में अपना विस्तार किया। व्यूह-रचना के अनुसार उन्होंने हैवल्स ब्रांड के विज्ञापनों में भारी खर्च करके इसे सहारा देने का निर्णय लिया। उन्होंने क्रैबट्री इंडिया और सिल्वानिया का भी अधिग्रहण किया, जिससे उन्हें अनेक यूरोपीय और लैटिन अमेरिकी देशों में अपनी पहुँच बनाने का मौका मिला। उनके प्रवर्तन में विद्युत् की बचत करनेवाले पंखे और स्लिम ट्यूबलाइट भी सम्मिलित हैं।

हैवल्स अपने उत्पादों की फुटकर बिक्री देश भर के 3,000 से अधिक केंद्रों व विस्तृत डीलर नेटवर्क के माध्यम से करती है। इसकी अपनी स्वयं की 30 शाखाओं के साथ 1,000 से ज्यादा मार्केटिंग टीम, 25 हैवल्स गैलेक्सी शोरूम हैं, जो पूरे भारत में मात्र हैवल्स के उत्पादों का फुटकर व्यवसाय करते हैं। पिता और पुत्र आज भी नियमित रूप से उस दुकान में जाते हैं, जहाँ से यह सब शुरू हुआ।

❑

कुँवर सचदेव

"मैं जानता था कि मेरा सहयोग करनेवाला कोई नहीं है, इसलिए मुझे अपने बल पर ही काम करना था। अपने फैसले मैं खुद लेता था। इससे मुझे बहुत मदद मिली।"

कुँवर सचदेव के पिता रेलवे में क्लर्क थे। सरकारी नौकरी के साथ ही वे कई निजी व्यवसाय भी चलाते थे, किंतु उनकी आर्थिक स्थिति बहुत अच्छी न थी। इस बारे में कुँवर सचदेव कहते हैं, ''हमारा परिवार मध्यवर्ग भी नहीं था। हम निम्न-मध्यवर्ग का जीवन व्यतीत कर रहे थे। जन्मदिन पर नई कमीज या नए जूते मिलना बड़ी बात थी।''

स्कूल की पढ़ाई के दौरान कुँवर को सुबह जल्दी उठकर अपने पिताजी की परचून की दुकान खोलनी पड़ती थी, क्योंकि दुकान का नौकर देर से आता था। बारहवीं पास करने के बाद भी कुँवर अपने भाई के पास काम करते रहे। उनके भाई साइकिल पर कलमें बेचा करते थे। इसके साथ ही कुँवर ने हिंदू कॉलेज भी ज्वॉइन कर लिया था। सन् 1984 में उन्होंने स्नातक की परीक्षा पास कर ली, इसके बाद उन्होंने एक छोटी सी नौकरी कर ली और सांध्यकालीन कक्षा में वे

लॉ (कानून) की पढ़ाई करने लगे।

इस बीच कुँवर की शादी भी हो गई, वह भी उनकी पसंद की लड़की से। शादी के बाद उनके जीवन में थोड़ा ठहराव आया और नौकरी छोड़कर कहीं हाथ आजमाने की इच्छा भी हुई। उन्होंने 1989 में केबल टी.वी. का काम शुरू कर दिया। उन दिनों केबल टी.वी. का अर्थ था—एम.ए. यानी मास्टर ऐंटीना टी.वी. सिस्टम। दूरदर्शन के दो चैनल थे, जिनमें से एक का ट्रांसमिशन वी.सी.आर. के जरिए होता था। अतिरिक्त चैनल को ही 'केबल' कहा जाता था। कुँवर बड़ी-बड़ी बहुमंजिला इमारतों में जाकर वहाँ के सेक्रेटरी या कमेटी को अपना सिस्टम लगाने के लिए तैयार करते थे।

सन् 1992 में केबल टी.वी. के बिजनेस में तेजी आई, तब उन्होंने खुद का सिस्टम बनाने का फैसला किया। उन्होंने एक इकाई शुरू की और 1996-97 तक उनकी फैक्टरी में काम करनेवालों की संख्या 50 हो गई। सन् 1998 तक उन्हें 3-4 करोड़ के टर्नओवर के साथ अच्छा-खासा मुनाफा होने लगा। इसी समय उन्होंने इनवर्टर के काम में आने का मन बनाया। कुँवर की इनवर्टर कंपनी सु-कैम को पहला इनवर्टर बनाने और उसमें सुधार लाने में उनकी टीम को पूरा एक साल लग गया। अंततः उन्होंने एक ऐसा इनवर्टर तैयार किया, जिसका सर्किट छोटा था और जो दो बैटरी के बजाय एक बैटरी से चलता था। उसकी क्षमता भी काफी ज्यादा थी। यह इनवर्टर ग्राहकों को पसंद आया और इसकी बिक्री बढ़ गई।

सन् 2002 तक सु-कैम अच्छी स्थिति में पहुँच गया और इसका टर्नओवर 10 करोड़ का आँकड़ा पार कर गया। आगे सु-कैम ने कुछ नए उत्पाद भी निकाले, जिनमें एक सिनेवेयर और दूसरा प्लास्टिक की बॉडीवाला इनवर्टर था। ये दोनों ही भारत में अपनी तरह के पहले उत्पाद थे। सु-कैम ने यू.पी.एस. की एक श्रृंखला निकाली और धीरे-धीरे अपना भौगोलिक विस्तार किया। कंपनी ने अपना पहला शाखा कार्यालय हैदराबाद में खोला और निर्यात के लिए उसे पहला ऑर्डर श्रीलंका से मिला। कंपनी ने अफ्रीका में आयोजित एक विदेशी प्रदर्शनी में भी भाग लिया। बाद में अफ्रीका सु-कैम का एक प्रमुख आयातक देश बन गया।

सु-कैम ने अपने अच्छे उत्पादों, लोकप्रिय ब्रांड नाम और मजबूत डीलर नेटवर्क के बल पर पिछले पाँच वर्षों में उल्लेखनीय प्रगति की। सन् 2004 में सु-कैम का टर्नओवर 100 करोड़ था, जबकि आज यह 500 करोड़ का आँकड़ा छू रहा है, जिनमें से 80 करोड़ रुपए केवल निर्यात से आते हैं।

सु–कैम ने सन् 2006 में समुद्री किनारे के पास अपना पहला ऑफिस दुबई में खोला और इसी वर्ष यह कंपनी 100 के.वी.ए. का इनवर्टर बनानेवाली विश्व की दूसरी कंपनी बनी। सु–कैम को उत्कृष्ट इनवर्टर तैयार करने के लिए 'नेशनल अवार्ड फॉर क्वालिटी प्रोडक्ट्स' और कंज्यूमर इलेक्ट्रॉनिक्स उत्पादों के लिए सर्वाधिक निर्यात के लिए 'सेक्टोरल अवार्ड' मिला। इन–हाउस (आंतरिक) आर. ऐंड डी. के लिए विज्ञान एवं प्रौद्योगिकी मंत्रालय, भारत सरकार की ओर से कंपनी को प्रशस्ति–पत्र प्राप्त हुआ। इसके अलावा सु–कैम को मैरिको इनोवेशन फाउंडेशन द्वारा स्थापित 'इनोवेशन ऑफ इंडिया–2008' का पुरस्कार भी मिला। इनोवेशन यानी नव–प्रवर्तन की बात तो सभी कंपनियाँ करती हैं, लेकिन सु–कैम की बात ही कुछ और है।

❑

TutorVista

कृष्ण गणेश

पहले के 'सपेरे' अमेरिका में अभिभावकों एवं छात्रों को पढ़ानेवाले उद्यमी बन गए हैं—अर्थात् आउटसोर्सिंग, जिसे ओबामा भी नकार नहीं सकते। क्यों? अमेरिका में एक निजी ट्यूटर 30 से 40 डॉलर प्रति घंटे की दर से कमाता है, जबकि गणेश 100 डॉलर प्रतिमाह की दर से कमाते हैं। गणेश ने अपनी कंपनी बंगलुरु में अप्रैल 2006 में मात्र 5 कर्मचारियों एवं 25 शिक्षकों (ट्यूटर) से शुरू की। दो वर्षों के दौरान ही इसमें 1,200 कर्मचारी और अंतरराष्ट्रीय स्तर पर 10,000 से अधिक छात्र हो गए। यह तो शुरुआत है, दुनिया उनका मार्केट है और तरक्की की संभावनाएँ अनंत हैं। इनकी कार्यशैली कुछ इस तरह है। रात के अँधेरे में और सुबह पौ फटने के दौरान जब हम सो रहे होते हैं तो गणेश और देश के 100 स्थानों में फैले उनके शिक्षक सिर पर हेडफोन लगाए अपने पी.सी. और ब्रॉडबैंड से चिपके स्कूली एवं महाविद्यालयीन छात्रों (जिसमें 90 प्रतिशत अमेरिकी) को पढ़ा रहे होते हैं। आखिर यह अनुपम विचार किस तरह गणेश के मन में आया। यदि आप उद्यमी हैं तो आप हमेशा 'जरा हट के' की तलाश में रहते हैं, ताकि आप अपने स्वयं की संतुष्टि का एक उपक्रम निर्मित कर सकें और कामकाजी भारतीयों के लिए रोजगार निर्मित कर उनके समृद्ध होने में सहायक हो सकें। गणेश को यह विचार बड़े नाटकीय ढंग से प्राप्त हुआ। एक अमेरिकी कार्टून में एक पिता अपने बेटे को बता रहा था कि वह उसके गृहकार्य को भारत आउटसोर्स नहीं कर सकता। तो इसी कार्टून को

देखकर गणेश के मन में 100 करोड़ रुपए का विचार पनपा।

विचार तो रुपए के दर्जन भर मिल रहे हैं। लेकिन आप उस विचार के कार्यान्वयन से नई-नई ऊँचाइयाँ तय करते जाते हैं। कई दूसरे सफल उपक्रमों में उनके पूर्व के अनुभव उनकी योजनाओं को कार्यान्वित करने के लिए आवश्यक थे, क्योंकि कोई भी दो कार्य एक समान नहीं हो सकते। इस अनोखे कार्य को प्रारंभ करने से पूर्व वह कई आई.टी. कंपनियों में कार्य कर चुके थे। उन्होंने आई.आई.एम.सी. से एम.बी.ए. एवं दिल्ली विश्वविद्यालय से एम.ए. कर रखा है। वह भारत के प्रतिष्ठित संस्थानों में विजिटिंग फैकल्टी के तौर पर जाते हैं।

शैक्षणिक दुनिया के साथ उनके जुड़ाव से आनेवाले समय में दुनिया भर में उनके विकास के लिए आवश्यकतानुसार अच्छे फैकल्टी मिल जाते हैं। वह एन.बी.सी., ए.बी.सी. एवं बी.बी.सी. में भी रहे हैं। उनकी वेबसाइट पर संपर्क करने के लिए लॉग ऑन कीजिए—www.tutorvista.com

❑

कैप्टन जी.आर. गोपीनाथ

"सिंपल फ्लाई कैप्टन जी.आर. गोपीनाथन की आत्मकथा है। एक शानदार पुस्तक!"

उन्हें निम्न लागतवाली वायु सेवा के जनक का दर्जा दिया जाना सही ही है। उन्होंने चार्टर्ड हेलिकॉप्टर से अपनी शुरुआत कर एयरलाइंस सेवाओं तक अपना विस्तार किया है। पाँच वर्ष पूर्व उनकी एयर डेकन का किंगफिशर में विलय हुआ। शुरुआत से ही एयर डेकन दूर-दराज के वायु सेवा से कटे शहरों में अपनी सेवाएँ प्रदान कर रही थी, जिसमें यात्रा करनेवाले ज्यादातर फर्स्ट टाइमर्स ही रहा करते थे। उन्होंने अपनी निम्न लागत की वायु सेवा के विषय में गर्व से बोलते हुए कहा कि ये वायु सेवाएँ एयरलाइंस व्यवसाय में यूडुपी होटलों की तरह ही हैं।

उनका जन्म कर्नाटक के एक दूरवर्ती गाँव में हुआ। एन.डी.ए., आई.एम.ए. के पश्चात् भारतीय सेवा में उन्हें एक ऑफिसर के रूप में नियुक्त किया गया। आठ वर्षों तक सेना में सेवा प्रदान करने के पश्चात् वह उद्यम के क्षेत्र में कूद पड़े, जिसे सन् 1995 में जी.ओ.आई. सुधार प्रक्रिया के तौर पर प्रोत्साहित किया जा रहा था। उन्हें हेलिकॉप्टर चार्टर व्यवसाय में भारी संभावनाएँ नजर आ रही थीं। अपने एक सैनिक मित्र के साथ 1996 में उन्होंने निजी क्षेत्र की कॉमर्शियल हेलिकॉप्टर

सेवा अर्थात् एयर डेकन शुरू करने का निर्णय लिया।

डेकन 360, एक एक्सप्रेस ट्रांसपोर्टेशन एवं लॉजिस्टिक सर्विस, उनका अगला कदम है। उद्यमिता की सफलता का स्वाद चखने के बाद वह एक ऐसा नया ग्राहक आधार बनाना चाहते थे, जिसका फर्क समाज में भी परिलक्षित हो। वह अपने उद्यमीय ज्ञान एवं बौद्धिक कुशलता को अपने संस्थानों एवं 4,000 कर्मचारियों के साथ बाँटते हैं। यद्यपि उन्होंने अपने एयर डेकन को किंगफिशर एयरलाइंस को बेच दिया है, फिर भी वे इसके दूसरे बड़े अंशधारी हैं।

डेकन 360 का विस्तार संपूर्ण भारत में होने पर वह सैकड़ों फ्रैंचाइजीज़ के नेटवर्क के साथ जहाजी माल को उनके स्थान से ले जाकर उनके गंतव्य तक छोड़ना शुरू करेगा। इसमें आधुनिकतम तकनीक को भी जोड़ा जाएगा, जैसे कि उनके ट्रकों में जी.पी.एस. लगा होगा। उन्होंने अन्य लॉजिस्टिक कंपनियों से भी गठबंधन किया है।

उनकी पुस्तक 'सिंपली फ्लाई' में आप पढ़ेंगे कि किस तरह उन्होंने 1,200 करोड़ रुपए कीमत के एयरक्रॉफ्ट का ऑर्डर दिया था, जबकि उनके बैंक एकाउंट में मात्र 1 करोड़ रुपए थे। ऐसे ही दूसरे उद्यमीय कारनामे भी मेरी नजर में यह मानो न मानो वाली कहानी है, जिसमें सेना का एक कैप्टन बिना किसी संपर्क लाभ के इतनी बड़ी उपलब्धि प्राप्त कर सकता है।

❑

गौतम अडाणी

"जब सबकुछ सचमुच जटिल हो जाए और तुम्हें कोई रास्ता नजर न आए, तो अपने अंतर्ज्ञान पर भरोसा कीजिए।"

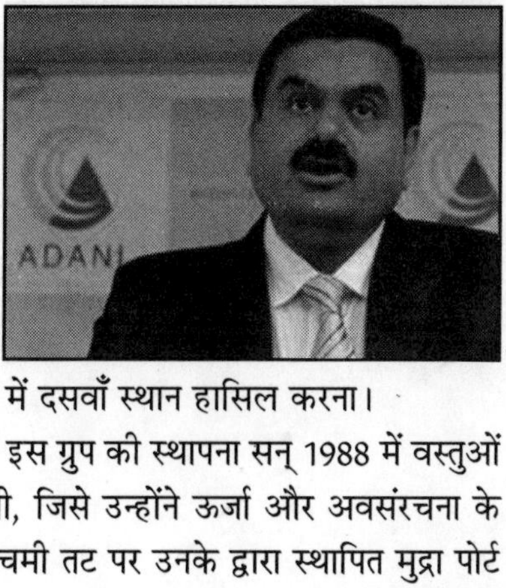

शुरुआत—सन् 1983 में स्कूटर पर घूम-घूमकर अपने भाई द्वारा उत्पादित पाइप बेचने के कार्य से। **उपलब्धि**—4 दिसंबर, 2009 में 'फोर्ब्स इंडिया' के सर्वेक्षण में 47 वर्षीय गौतम का 6.4 अरब डॉलर की हैसियत के साथ 100 सर्वाधिक धनी भारतीयों की सूची में दसवाँ स्थान हासिल करना।

व्यापारी से उद्योगपति बने गौतम ने इस ग्रुप की स्थापना सन् 1988 में वस्तुओं के व्यापार की इकाई के रूप में की थी, जिसे उन्होंने ऊर्जा और अवसंरचना के क्षेत्र में विस्तारित किया। भारत के पश्चिमी तट पर उनके द्वारा स्थापित मुद्रा पोर्ट भारत में निजी क्षेत्र का सबसे बड़ा उद्यम है। उनकी उद्यमिक सफलता के कारण उनका व्यवहार कौशल (नरेंद्र मोदी के साथ भी) बड़ा उत्कृष्ट है। उनकी धर्मपत्नी प्रीति अडाणी फाउंडेशन द्वारा संचालित स्कूलों का निरीक्षण कार्य सँभालती हैं। अडाणी फाउंडेशन अडाणी परिवार का परोपकारी कार्यों हेतु स्थापित अंग है।

आई.पी.एल. सीजन-IV के लिए उन्होंने 31.5 करोड़ डॉलर का प्रस्ताव कोच्चि

टीम हेतु रखा, लेकिन इसके लिए 3.33 करोड़ डॉलर की बोली के साथ वे पीछे रह गए। इसका परिणाम घोषित होने के पश्चात् उन्होंने आई.पी.एल. को भूल ही जाने का निर्णय ले लिया। यह उनके एवं उनके अंशधारियों के लिए अच्छा था। इस गतिरोध की वजह से उनका दृष्टिकोण नहीं बदला। और उन्होंने विशाल एवं आधारभूत अवसंरचना पर अपेक्षाकृत ज्यादा ध्यान केंद्रित किया। यह ऊर्जा उत्पादन का उद्यम था, जिसमें उन्होंने 28,000 करोड़ रुपए की राशि का विनियोग किया। दीर्घावधि ऊर्जा क्रय समझौते के तहत उन्होंने गुजरात, हरियाणा और महाराष्ट्र को ऊर्जा आपूर्ति करने की प्रतियोगी बोली में जीत हासिल की। उन्होंने आई.पी.ओ. के जरिए अगस्त 2009 में 300 करोड़ रुपए का कोष जुटाया, जिसमें किया गया योगदान 18 गुना अधिक था। इससे अडाणी नाम की साख का अहसास होता है।

उनका जन्म सन् 1962 में अहमदाबाद में हुआ था। रोजी-रोटी की तलाश में उनके माता-पिता उत्तरी गुजरात पहुँचे। 18 वर्ष की आयु में मात्र कुछ सौ रुपए रखकर गौतम अडाणी बंबई पहुँचे। उन्होंने बीच में ही अपनी महाविद्यालयीन पढ़ाई छोड़ दी। डायमंड-सार्टर के रूप में उन्होंने अपना कॅरियर प्रारंभ किया। इसके पश्चात् जावेरी बाजार में हीरा दलाली का व्यवसाय शुरू किया। 1981 में उनके भाई ने उन्हें अहमदाबाद में एक प्लास्टिक उद्योग की इकाई को खरीदने का परामर्श दिया। उन्होंने प्लास्टिक निर्माण हेतु प्रमुख कच्चे माल के रूप में प्रयोग किए जानेवाले पी.वी.सी. का आयात करना प्रारंभ किया। यह उनके द्वारा अंतरराष्ट्रीय व्यापार में उठाया गया शुरुआती कदम था। आज उनके पास दो निजी जेट विमान हैं, जिन्हें उन्होंने वर्ष 2005 और 2007 में खरीदा। जरा सोचिए, हमारी धरती पर कैसी ऊँची हस्तियाँ जन्म लेती हैं और ऐसी ही कामयाबियाँ भारत में भारतीयता के संस्कारों से उत्पन्न होती हैं।

❑

चंदू भाई विरानी, कानूभाई विरानी, भीखू भाई विरानी, केयूर विरानी

जामनगर के एक किसान परिवार से संबंध रखनेवाले विरानी बंधुओं भीखूभाई, चंदूभाई और कानूभाई को उनके पिता ने 20,000 रुपए की राशि व्यवसाय करने के लिए दी। किंतु वे इसमें सफल नहीं हुए। परिणामस्वरूप वर्ष 1974 में चंदूभाई और मेघाजी ने राजकोट के एस्ट्रॉन सिनेमा में खाने-पीने की चीजें बेचने का काम शुरू कर दिया। सिनेमाघर के मालिक गोविंद भाई ने संविदा आधार पर कैंटीन को उनके सुपुर्द कर दिया। इस परिवार ने घरेलू मसाले की सहायता से सैंडविच बनाने का कार्य शुरू कर आगामी वर्षों में बड़ी सफलता हासिल की। वर्ष 1982 में उन्होंने जलपान की वस्तुएँ (नमकीन मिश्रण) तैयार कीं, जिसमें उनके कुल विक्रय का 80 प्रतिशत पोटैटो वेफर्स से प्राप्त होता था। अपने उत्साह, धैर्य एवं गुजराती उद्यम कौशल के परिणामस्वरूप इन्होंने एक अर्द्ध-स्वचालित प्लांट की स्थापना की, जिसे 1999 में पूर्ण स्वचालित बना दिया गया। उन्होंने अच्छे विक्रय या बढ़कर विक्रय पैकेजिंग की अहमियत को समझा। इसे नवीनतम यंत्र 'आर. एंड डी.' की सहायता से वजड़ी, राजकोट में स्थापित किया गया। 'बालाजी वेफर्स एंड नमकीन्स' के ब्रांड नाम से गुजरात में इसकी विपणन हिस्सा 90 प्रतिशत आलू चिप्स एवं 70 प्रतिशत नमकीन का है। गुणवत्ता, वितरण व्यवस्था, निर्देशकों

एवं स्टाफ के रूप में इन बंधुओं का टीमवर्क इस कामयाबी के प्रमुख घटक हैं।

चटका-पटका टैंगा टमैटो स्नैक्स गुजरात भर में लगभग सभी पान की दुकानों एवं फुटकर संस्थानों पर उचित एवं वहनीय मूल्यों पर उपलब्ध है। उनके मुँह जुबानी प्रचार की सफलता इस बात पर टिकी है कि बालाजी गुजरात के उपभोक्ताओं के स्वाद को अच्छी तरह, बिलकुल वैसे ही समझता है जैसे उत्तरी भारतीयों के स्वाद की आवश्यकता पूर्ति हल्दीराम द्वारा की जाती है। बालाजी के नमकीन मिक्सचर उत्पादन के उत्कृष्ट होने का अंदाजा इसी बात से लगाया जा सकता है कि पेप्सी जैसी कंपनी भी इसे हासिल करने में रुचि रखती है। गुजरात, महाराष्ट्र एवं राजस्थान में बालाजी के लगभग 15 उत्पाद बेचे जाते हैं। बालाजी की कहानी अभी भी मैकडोनॉल्ड्स या के.एफ.सी. जैसी भले ही न हो, किंतु यह इसी दिशा में अग्रसर है। इसकी आगे की सफलता इसकी व्यावसायिकता एवं 'आर. एंड डी.' के यह सुनिश्चित करने पर टिकी हुई है कि पेप्सी की तरह बालाजी भी ऐसे उत्पादों को बढ़ावा देता है, जो स्वास्थ्य एवं बदलती जीवन-शैली की कसौटी पर खरे उतरते हैं। आज दुनिया भर में लगभग 10 करोड़ लोग (जिसमें अमेरिका, अफ्रीका और सुदूर पूर्व के अप्रवासी भारतीय भी सम्मिलित हैं) बालाजी के ग्राहक हैं।

❑

Mahindra REVA

चेतन मैनी

> “आप जो कुछ करना चाहते हैं, उस पर पूरा भरोसा रखें, तभी आप सफल हो सकते हैं। आपके प्रयोजन के बारे में दुनिया चाहे जो भी सोचे, आप उसे पूरा करें।”

चेतन मैनी का जन्म बेंगलुरु के एक संपन्न परिवार में हुआ। उनके पिता सुदर्शन मैनी माइको बाश में इंजीनियर थे, लेकिन 1973 में उन्होंने अपनी इंजीनियरिंग कंपनी शुरू करने के लिए नौकरी छोड़ दी। यह उस व्यक्ति के लिए साहसी कदम था, जिसे युवा परिवार का पालन-पोषण करना था।

चेतन पर जैसे होश सँभालते ही इलेक्ट्रॉनिक्स का जुनून सवार हो गया था। इस बारे में वे स्वयं कहते हैं, “मुझे याद है, मैंने चौथी कक्षा में अपना पहला रेडियो बनाया। छठी कक्षा तक मैं रिमोट कंट्रोल विमान बनाने लगा था, फिर मैं रिमोट कंट्रोल कार की असेंबलिंग में जुट गया।

यूनिवर्सिटी ऑफ मिशिगन चेतन की पहली पसंद थी, क्योंकि वह ऑटो के केंद्र माने जानेवाले 'डिट्राइट' के पास थी। खुशकिस्मती से उन्हें यूनिवर्सिटी में चुन लिया गया। यूनिवर्सिटी ऑफ मिशिगन उन 35 टीमों में से एक थी, जिन्हें 'सौर कार' परियोजना नामक प्रतियोगिता में भाग लेने के लिए चुना गया था। इस

परियोजना में बॉडी पैनल्स की वैल्डिंग से लेकर मशीनों के पुरजों को जोड़ने तक का सारा काम खुद ही करना था।

बेहतर तालमेल और सशक्त टीमवर्क के कारण यूनिवर्सिटी ऑफ मिशिगन की टीम अव्वल आई। उनका अगला पड़ाव मध्य ऑस्ट्रेलिया के रेगिस्तान में 'वर्ल्ड सोलर चैंपियनशिप' था। डार्विन से एडिलेड तक 3,200 कि.मी. की इस दौड़ प्रतियोगिता में माजदा और होंडा जैसी कंपनियाँ भी भाग ले रही थीं। चेतन के लिए ये परियोजनाएँ पढ़ाई की तरह ही थीं। इसी समय उन्हें इलेक्ट्रिक कार का विचार सूझा।

सन् 1991 में चेतन डॉ. लोन बेल की कंपनी में आ गए। यहाँ उन्होंने एक इलेक्ट्रिक कार का प्लेटफॉर्म तैयार किया और विभिन्न प्रौद्योगिकियों को भी जाँचा-परखा। इसी बीच उन्होंने स्टैनफोर्ड यूनिवर्सिटी से मास्टर डिग्री हासिल की।

दिसंबर 1994 में चेतन के पिता सुदर्शन मैनी अमेरिका में डॉ. बेल से मिले और उनके सामने भारतीय बाजार में संयुक्त उद्यम स्थापित करने का प्रस्ताव रखा।

चेतन की माता रेवा मैनी के नाम पर कंपनी का नाम 'रेवा' रखा गया। संस्कृत में रेवा का अर्थ है—'नई शुरुआत'। चेतन अमेरिका में रेवा परियोजना टीम की अगुवाई कर रहे थे। वे भारत स्थित टीम के साथ भी तालमेल बनाए हुए थे। भारत और अमेरिका की दोनों कंपनियों ने टेक्नोलॉजी से संबंधित विशेष बातों पर पाँच वर्ष तक साथ काम किया। उस समय चेतन बमुश्किल 24 वर्ष के थे। उन्हें बड़ी कंपनियों ने दोगुने वेतन पर बुलाया, लेकिन उन्होंने वहाँ जाने से इनकार कर दिया।

सन् 1996 में भारत में पहली 'कार' भेजी गई और अगले साल भारतीय सड़कों पर उसे अच्छी तरह जाँचा-परखा गया। सन् 1997 में रेवा ने 'ऑटोमोटिव रिसर्च एसोसिएशन ऑफ इंडिया' (ए.आर.ए.आई) का प्रमाणीकरण भी हासिल कर लिया।

अप्रैल, 1999 में चेतन बेंगलुरु लौट आए। अभी तक वे केवल टेक्नोलॉजी पर ध्यान दे रहे थे, लेकिन भारत आने के बाद वे 'रेवा' को बिजनेस के नजरिए से देखने लगे। 'रेवा' ने दो साल में 40 कारें बनाईं। इन कारों का परीक्षण 10 लाख कि.मी. तक किया गया। इसके बाद ही जुलाई 2001 में चेतन ने पहली इलेक्ट्रिक कार 'रेवा' लॉञ्च की। यह किसी धमाके से कम न था। कंपनी ने अपने ऑपरेशन के पहले साल में 150 से अधिक कारें बेचीं।

'रेवा' ने दिसंबर 2002 में 16 कारें यू.के. भेजीं और वहाँ की स्थितियों में एक वर्ष तक उनका परीक्षण किया गया। लंदन में 2004 में 'रेवा' इलेक्ट्रिक कार की बिक्री शुरू हुई। यू.के. में कंपनी अब तक 1,000 से अधिक कारें बेच चुकी है। वहाँ यह 'जी विज' के नाम से जानी जाती है। भारत में 'रेवा' कीमत के प्रति सचेत रहनेवाले मध्यवर्ग के खरीदारों के लिए थी, जबकि यू.के. में यह फैशन बन गई।

बुनियादी तौर पर जलवायु परिवर्तन के बारे में अधिक जागरूकता और अक्षय ऊर्जा में दिलचस्पी जगाने की दिशा में 'रेवा' का आगमन एक सराहनीय कदम है। निश्चय ही यह किसी आंदोलन की अगुवाई करने जैसा है। वास्तव में 'रेवा' महज एक कार कंपनी नहीं, बल्कि ज्ञान कंपनी है, जिसके 33 प्रतिशत कर्मचारी शोध एवं विकास से जुड़े हुए हैं।

❑

Loot

जय गुप्ता

"ज्यादा-से-ज्यादा घरेलू व विदेशी व्यवसायी भारत के संगठित फुटकर व्यापार को ज्यादा लोकतांत्रिक बनाएँगे, जो देश और लोगों के लिए शुभ है।"

बिहार के रक्सौल से मुंबई महाविद्यालयीन शिक्षा प्राप्त करने के लिए आना। अनाज के पैतृक व्यवसाय से 22 राज्यों के 85 शहरों में 150 फुटकर स्टॉल, 100 ब्रांड। उन्होंने अपना पहला स्टोर 5 लाख रुपए की लागत से वर्ष 2004 में शुरू किया और वर्तमान में 110 करोड़ से अधिक का टर्नओवर! 25 से 60 प्रतिशत तक की छूट वाली यू.एस.पी. के साथ जय गुप्ता भारत की उत्कृष्ट उद्यमीय कहानी प्रस्तुत करते हैं जो कि जारी मंदी के बावजूद वर्तमान आर्थिक वातावरण में किसी चमत्कार से कम नहीं है। उनकी कहानी से यह तथ्य भी स्थापित होता है कि भारत में उद्यमी पैदा होने की अपेक्षा स्वनिर्मित होते हैं। मजे की बात यह है कि जय की उम्र अभी मात्र 36 साल है और अपने बड़े-से-बड़े सपनों को पूरा करने के लिए उनके सामने कई दशक पड़े हुए हैं। महाविद्यालयीन काल के दौरान, जब उनके भाइयों ने पारिवारिक व्यवसाय से उन्हें जोड़ना चाहा तो उन्होंने अपने अंदर की आवाज सुनकर अनुभव प्राप्त करने के लिए सेल्समैन का काम कर लिया। अनजाने में

उन्होंने किशोर बियानी के नक्शे-कदम का अनुसरण किया, जिनकी पुस्तक 'इट हैपंड इन इंडिया' आपको जरूर पढ़नी चाहिए। नवी मुंबई में उनकी पहली मल्टी ब्रांड शॉप असफल रही। किंतु निराश होने की बजाय उन्होंने असफलता के स्वाद का सकारात्मक अनुभव कर विनम्रता धारण की, जिससे एक बार फिर पहल करने की भूख उनमें जाग उठी। दूसरा स्टोर पूरी तरह कलर प्लस और एडिडास के लिए था। लेकिन यह भी ऊँची कीमतों के कारण नहीं चला। तब उन्होंने महसूस किया कि ग्राहक सचमुच छूट चाहते हैं। उन्होंने कलर प्लस, एडिडास एवं प्रोवोग के फैक्टरी आउटलेट्स खोले और गुणवत्ता में दूसरे दर्जे के उत्पाद बेचने शुरू कर दिए। उन्हें फिर से असफलता हाथ लगी, क्योंकि ग्राहकों ने गुणवत्ता पर प्रश्न-चिह्न लगाने शुरू कर दिए।

वह हेनरी फोर्ड की तरह तीन बार असफल रहे। छूट और उत्पाद पर गारंटी के साथ सामान बेचने का उनका विचार लाखों डॉलर का था। तभी 'लूट' की शुरुआत हुई। उन्होंने बॉलीवुड के 'बेड मैन' गुलशन ग्रोवर को इसका ब्रांड एंबेसडर बनाने का निर्णय लिया। उद्यमियों की सफलता की क्या वजह हो जाए, यह कोई भी पी-एच.डी. वाला तुम्हें नहीं बता सकता। आप केवल काम शुरू कीजिए और सफल होने तक लगे रहिए। कितना सरल!

❑

जयप्रकाश गौर

"भारतीय उद्यमिता का सातवाँ आश्चर्य– एक सिविल ठेकेदार से 'फोर्ब्स इंडिया' के 100 सर्वाधिक धनी भारतीयों में 29वीं वरीयता।"

कोई भी सपना हमारे लिए बहुत बड़ा नहीं है। तत्पश्चात् यह बात जे.पी. ग्रुप के मालिक 80 वर्षीय जयप्रकाश गौर पर अक्षरश: चरितार्थ होती है। उन्होंने सन् 1959 में रुड़की विश्वविद्यालय से सिविल इंजीनियरिंग में डिप्लोमा लिया। तत्पश्चात् उन्होंने उत्तर प्रदेश में शासकीय नौकरी कर ली, किंतु स्वयं की कंस्ट्रक्शन कंपनी स्थापित करने के लिए 1972 में शासकीय नौकरी से त्यागपत्र दे दिया। उनके पाँच बच्चे हैं। उनके व्यावसायिक कार्यक्षेत्र में ऊर्जा, सीमेंट, अधोरचना, हॉस्पिटैलिटी, निर्माण, अचल संपत्ति एवं शिक्षा प्रमुख रूप से शामिल हैं। 5,500 करोड़ रुपए के टर्नओवर वाले जे.पी. ग्रुप का विस्तार 14 राज्यों में है। वायु एवं ताप ऊर्जा उत्पादन, एयरपोर्ट, खनिज तेल एवं प्राकृतिक गैस अनुसंधान क्षेत्र में यह कंपनी अपना विस्तार कर रही है।

यह गति के क्षेत्र में भारत का प्रथम फॉर्मूला वन सुविधा अर्थात् 165 कि.मी.

आगरा से ग्रेटर नोएडा ताज एक्सप्रेस-वे तैयार करने जा रही है। इससे यात्रा का समय 4 घंटे से घटकर 2 घंटे हो जाएगा। यह पूर्व सैनिकों की भरती करनेवाले निजी सेक्टर का सबसे बड़ा नियोक्ता है। इस समूह को विश्वास है कि गंगा एक्सप्रेस-वे परियोजना 1,047 कि.मी. विस्तार क्षेत्र में रहनेवाले 7 करोड़ लोगों के लिए विशाल अवसर में परिवर्तित हो सकती है।

मेरे नजरिए से जे.पी. एक भारतीय उद्यमी के रूप में हेनरी फोर्ड या रॉकफेलर हैं। कॉरपोरेट सामाजिक उत्तरदायित्व (सी.एस.आर.) के क्षेत्र में यह ग्रुप जयप्रकाश सेवा संस्थान का संचालन करता है, जहाँ 16,000 से अधिक छात्रों को शैक्षणिक सुविधाएँ मुहैया कराई जाती हैं। एक दशक के भीतर इसका उद्देश्य 1 लाख से अधिक छात्रों को शिक्षण सुविधाएँ उपलब्ध कराना है। इस ग्रुप का मानना है कि भारतीय उद्योग द्वारा गरीब बच्चों को शिक्षा मुहैया कराने में मदद करनी चाहिए। विस्तृत ग्रामीण विकास कार्यक्रम के अंतर्गत इसने सीमेंट संयंत्रों एवं परियोजना कार्यस्थलों के आस-पास के गाँवों को गोद ले रखा है, जहाँ ये स्वास्थ्य रक्षण एवं पशु रक्षण भी उपलब्ध कराते हैं।

उनकी सफलता का मंत्र चुनौतियों को अवसरों में बदलकर नए क्षेत्रों में प्रवेश करके अपने अंशधारियों के धन में वृद्धि करने से है। जब मैंने उनके ग्रेटर नोएडा ग्रीन्स, स्पोर्ट्स कॉम्पलेक्स, जे.पी. गोल्फ कोर्स और क्लब पहुँचकर इधर-उधर देखा तो उनकी जीवन भर की उपलब्धि देख मैं विस्मित रह गया। मुझे ऐसा महसूस हुआ मानो एक जादूगर की भाँति अपनी जादुई छड़ी का इस्तेमाल करके उन्होंने यह सब हासिल किया है। उन्होंने भारत और भारतीयों को गर्वित किया है। उन्होंने दिखा दिया है कि बगैर किसी 'यदि और लेकिन' के भारत में ऐसा करना संभव है।

❑

जयाराम बनान

“सागर गुणवत्ता का दूसरा नाम है। यह अपने आप में उत्कृष्ट, ताजा तैयार, उचित कीमत का एवं स्वादिष्ट भारतीय फॉस्ट फूड है।**”**

—वीर संघवी, एच.टी. संडे, मैगजीन

यदि आप दिल्ली में रहते हैं या यहाँ प्राय: आते-जाते रहते हैं तो आपने सागर रत्ना के भोजन का स्वाद जरूर चखा होगा। यदि आपने अभी तक यह स्वाद नहीं चखा है, तो मैं आपको इसका स्वाद चखकर देखने की सलाह देना चाहूँगा। आप भोजन करते-करते इस बात पर विचार कीजिए कि आखिर कैसे जयाराम जैसे उद्यमी अपने जीवनकाल में इतने कामयाब हो जाते हैं? यह रातोरात मिलनेवाली सफलता नहीं है। लेकिन ऐसा प्राय: होता है, जिससे मुझे आपको सोचने के लिए कुछ ज्यादा विवश करने का प्रोत्साहन मिल जाता है, अर्थात् मैं यह कह उठता हूँ कि कभी आप उद्यमी बनने के लिए गंभीरतापूर्वक विचार तो कीजिए।

कर्नाटक के उडुपी में रहनेवाले एक ड्राइवर का बेटा जयाराम स्कूल की

परीक्षा में असफल हो गया। उसे अच्छी तरह मालूम था कि उसके पिता बतौर सजा उसकी आँख में पिसी मिर्च डाल देंगे! इसलिए उसने घर से कुछ पैसे चोरी किए और एक बस पकड़कर बंबई चला गया। उसने एक होटल में बरतन साफ करने एवं भोजन परोसने की नौकरी कर ली और यहीं से कैटरिंग व्यवसाय में आगे बढ़ना शुरू किया। उसने पढ़ाई नहीं की। उसे व्यवसाय की जानकारी होने लगी, जिससे उसकी समझ में यह आया कि बंबई का बाजार संतृप्त हो चुका है। जीवन में ऐसी वास्तविकताओं को महसूस करने के लिए आपको एम.बी.ए. व पी-एच.डी. धारियों की आवश्यकता नहीं होती। उसने गाजियाबाद में इंडफास कैंटीन की शुरुआत की, जहाँ मेरे एक संबंधी जी.सी. नारंग ने उसे उसके सहकर्मियों के साथ उनका सत्कार करते हुए देखा।

वर्ष 1986 में उसने डिफेंस कॉलोनी में पहली 'सागर रत्ना' शुरू की। शीघ्र ही उसने वुडलैंड्स को लोधी होटल में परिवर्तित कर दिया, जिसे आगे चलकर अशोक होटल में स्थानांतरित कर दिया गया, जहाँ मेरे एक प्रकाशक मित्र और फुल सर्कल एवं कैफे टर्अल के मालिक शेखर मल्होत्रा सप्ताह में एक बार मुझसे मिलते हैं। वर्ष 2001 में जयाराम ने सीफूड के लिए स्वागत प्रारंभ किया। आज उसके व्यावसायिक साम्राज्य में 59 सागर एवं 9 स्वागत (जिसमें कुछ विदेशों में भी हैं) सम्मिलित हैं। वीर संघवी के अनुसार, जयाराम भारत के बड़े विनम्र व्यवसायी हैं। आज भी जब अतिथि प्रवेश करते हैं तो वह झुककर उनका अभिवादन करते हैं। उन्होंने कभी भी अपने किसी रेस्टोरेंट की मेज पर बैठकर भोजन नहीं किया। वे रसोई में बैठकर भोजन करते हैं।

❑

जसवंती बेन जमना दास पोपट

"लिज्जत पापड़ : एक उद्यम औरतों का, औरतों के द्वारा और औरतों के लिए।"

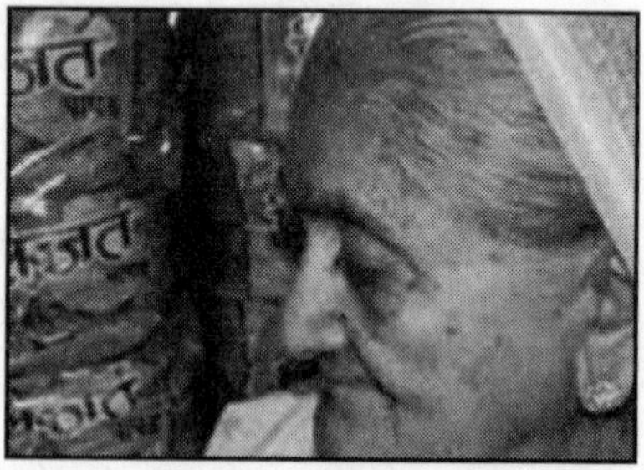

निरक्षर गृहिणियों का एक समूह, जिनके पास पर्याप्त समय था, किंतु संसाधनों की कमी थी, अपने निम्न मध्यम वर्गीय मुंबई के संकीर्ण मकानों में गपशप लड़ाते दिन गुजार देता था। अचानक परिवार की पूरक आय के स्रोत के तौर पर पापड़ बेचने का विचार उनके मन में आया। आज 50 वर्ष बाद उनके उद्यमीय प्रयासों के परिणामस्वरूप लिज्जत पापड़ अब 500 करोड़ रुपए के टर्नओवर के साथ एक पुरस्कृत कंपनी है।

15 मार्च, 1959 को सात महिलाओं ने इसकी शुरुआत की और आज टीम की एकमात्र सदस्या जसवंती बाई ही जीवित हैं। उन्होंने मात्र 80 रुपए की ऋण पूँजी से इसकी शुरुआत की थी। अब यह उद्यम देश के लगभग 72 केंद्रों में फैले 42,000 सदस्यों की एक बड़ी सहकारिता बन गया है। पहले दिन सातों महिलाओं ने लगभग 2.5 किलो पापड़ बेलकर तैयार किए और एक स्थानीय दुकानदार को 101 रुपए नकद में बेच दिए। 50 वर्ष बाद 25 करोड़ रुपए मूल्य के हाथ से तैयार किए हुए पापड़ को उनके द्वारा निर्यात किया गया। महिलाओं को मिले अच्छे

रोजगार को दृष्टिगत रखते हुए वे पापड़ तैयार करने के लिए आज भी मशीन का प्रयोग नहीं करते।

प्रत्येक सदस्य को 'बहन' संबोधित किया जाता है और वह श्री महिला उद्योग लिज्जत पापड़ की सह-स्वामित्वधारी मानी जाती हैं। लिज्जत नाम का चुनाव स्वाद, गुणवत्ता व औरतों द्वारा स्वतंत्र आजीविका कमाने की प्रतिष्ठा की अच्छाई को ध्यान में रखकर किया गया था। वर्षों से दो स्थानीय सामाजिक कार्यकर्ता छगन पारेख और पुरुषोत्तम दत्तानी द्वारा उद्यमीय महिलाओं का संरक्षण किया जा रहा है। उन्होंने ही 80 रुपए की प्रारंभिक बीज पूँजी की व्यवस्था की थी। ये बहनें ईश्वर के साथ-साथ उनकी भी पूजा करती हैं। लिज्जत ब्रांड की लोकप्रियता के साथ इसका विस्तार मसाले, गेहूँ का आटा, साबुन, डिटर्जेंट व खाद्य वस्तु जैसे उत्पादों में भी किया गया है। किंतु यह आज भी कुटीर उद्योग ही बना हुआ है। आकर्षक पैकेजिंग और लिज्जत 'रैबिट' विज्ञापन के माध्यम से ब्रांड का सुदृढ़ीकरण किया गया है। इसे खादी व ग्रामीण उद्योग द्वारा मान्यता भी प्रदान की गई है। लिज्जत को विभिन्न राष्ट्रीय एवं अंतरराष्ट्रीय पुरस्कारों से भी पुरस्कृत किया गया है।

अमूल और लिज्जत दो ऐसे सहकारी उद्यम हैं, जिन्हें मेरी नजर में भारतीयों को स्वयं का लघु उद्यम शुरू करने हेतु प्रोत्साहित करना चाहिए।

❑

जी.एम. राव

"आंध्र प्रदेश में एक कृषक के बेटे ने अपनी उद्यमी यात्रा के माध्यम से 100 सबसे धनी भारतीयों की सूची तक का पड़ाव तय किया।"

सन् 1950 में जनमे जी.एम. राव आंध्र प्रदेश के एक कृषक-पुत्र हैं। उन्होंने वर्ष 1970 में राजम जिले में जूट मिल की शुरुआत के बाद जी.एम.आर. ग्रुप का साम्राज्य स्थापित किया। उनके साम्राज्य में आंध्र प्रदेश में स्थापित एक चीनी संयंत्र भी सम्मिलित है, जिससे उस क्षेत्र के 500 गाँवों के लगभग 25,000 लोगों को आजीविका प्राप्त होती है। गरीबी कम करने की दिशा में वह ऐसे और संयंत्र लगाने जा रहे हैं। मेरे विचार से, गरीबी में कमी लाने का यह कार्य भारतीय उद्यमियों व उद्यमिता में सबसे बड़ा योगदान है। उद्यमी न ही पैदा होते हैं, न बनाए जाते हैं, बल्कि वे स्वनिर्मित होते हैं। उत्तराधिकारी की योजना को लेकर उनका पहले से ही अपना एक स्पष्ट दृष्टिकोण है। वह पेशेवर प्रबंधकों की ऊर्जाशील टीम के साथ सर्वोत्तम उद्यम की भावना का समन्वय उद्यम संगठनों के निर्माण हेतु करना चाहते हैं, ताकि

मूल्य निर्माण से समाज में एक बदलाव दिखाई पड़ सके। हाई एंड माइटी पॉवर लिस्ट 2010 के 50 भारतीयों में उन्हें चौदहवें स्थान पर रखा गया है।

वह मेकैनिकल इंजीनियर हैं और जी.एम.आर. ग्रुप के चेयरमैन भी हैं। यह सुविस्तारित एवं व्यावसायिक रूप से प्रबंधित ग्रुप है, जिसकी व्यावसायिक धुरी में एयरपोर्ट्स, ऊर्जा, हाईवे एवं शहरी अधोसंरचना सम्मिलित हैं। उन्होंने हैदराबाद में एक नए एयरपोर्ट का निर्माण किया। 5,02,000 वर्ग मीटर क्षेत्र में दिल्ली एयरपोर्ट के आधुनिकीकरण के कार्य को उन्होंने 37 महीने के रिकॉर्ड समय में संपन्न किया। दुनिया के आठवें सर्वाधिक विशाल टर्मिनल टी-3 का निर्माण भी उनके द्वारा किया गया है।

इसके अलावा उन्होंने इस्तांबुल (तुर्की) अंतरराष्ट्रीय हवाई अड्डे का निर्माण कराया। जी.एम. राव कहते हैं, 'मेरा संपूर्ण ज्ञान अनुभव द्वारा प्रेरित उत्साह के कारण है।' उल्लेखनीय है कि अब वह अपनी विनम्रता कायम रखते हैं। जूट व्यापार में कदम रखने से पूर्व वह आंध्र प्रदेश में पी.डब्ल्यू.डी. में कार्यरत थे। वह अपनी सफलता का संपूर्ण श्रेय अपनी व्यावसायिक टीम के सदस्यों को देते हैं।

बैंकिंग सेवा में अपने दो दशक के उत्कृष्ट अनुभव के कारण वर्तमान में वह आई.एन.जी. वैश्य बैंक के चेयरमैन हैं। जी.एम.आर. वरलक्ष्मी फाउंडेशन के माध्यम से लोगों के जीवन-स्तर को उठाने के लिए वे कॉरपोरेट सोशल रिस्पॉन्सिबिलिटी का कार्य संचालित करते हैं।

❑

SUZLON
POWERING A GREENER TOMORROW

तुलसी टांटी

तुलसी टांटी व उनके तीनों भाइयों—विनोद, जितेंद्र और गिरीश सही अर्थों में भारतीय उद्यमी हैं। अपनी अंतरराष्ट्रीय उपस्थिति दर्ज कराने के साथ ही वह विश्व की सबसे मूल्यवान् वायु ऊर्जा कंपनी के मालिक बन गए हैं। इस कंपनी की स्थापना सन् 1995 में हुई। आज भारत और दुनिया भर में इसके 14,000 कर्मचारी हैं। मौलिक रूप से वे राजकोट से आते हैं और बहुत आकस्मिक उद्यमिता निर्माण की तरह सुजलोन की स्थापना भी आकस्मिक की। लगभग सन् 1995 में तुलसी ने पाया कि सूरत में उनका वस्त्र उद्योग ऊर्जा अभाव के कारण नहीं चल पा रहा है। तभी उनके मन में वायु ऊर्जा के विकल्प का विचार आया। कारण! तुलसी तीन साल आगे की सोचते हैं। वह पुणे चले गए। सुजलान का अर्थ सभी के लिए अच्छा प्रबंधन है—सूझ-बूझ के लोन लेना। 1949 में सुजलान ने अपना आंशिक रूप से गृह निर्मित टरबाइन बाजार में उतारा। आज कंपनी द्वारा जर्मनी, नीदरलैंड और भारत में इस पर ज्यादा-से-ज्यादा हवा छोड़ने की विधि हेतु अनुसंधान किया जा रहा है। सुजलान ने विश्व स्तरीय बनने के लिए कुछ कंपनियों का अधिग्रहण किया है। सुजलान के ग्राहकों की सूची में एक नाम जॉन हीरे का है। वह कृषि फार्म यंत्रों के निर्माणकर्ता हैं। वह ऐसे कृषकों को पवन चक्की खरीदने की वित्त सुविधा देने की मार्केटिंग करते हैं, जिनके पास बहुत बड़ी तादाद में जमीन है। यह योजना मिनिसोटा और अमेरिका जैसे तीव्रतम मौसम दशाओं वाले देशों में

सफलतापूर्वक चली। हमारे राजकोट के युवा दिग्गज अंतरराष्ट्रीय मंच पर विश्व की चोटी की तीन ऊर्जा कंपनियों में शामिल होने में सफल रहे हैं।

तुलसी को 'भारत का वायु पुरुष' के नाम से भी जाना जाता है। उन्हें वर्ष 2009 के चंचलिनी ग्लोबल इंडिया अवार्ड के लिए गैर-पारंपरिक ऊर्जा स्रोत को बढ़ावा देने की दिशा मे उनके योगदान के लिए चुना गया है। संयुक्त राष्ट्र के यूनाइटेड नेशन्स एन्वायरनमेंट प्रोग्राम द्वारा उन्हें 'चैंपियन ऑफ दि अर्थ' (2009) का पुरस्कार दिया गया है। उन्हें ग्लोबल इंडियन अवार्ड एवं गोल्डन पीकॉक नेशनल ट्रेनिंग अवार्ड भी प्रदान किया गया है।

❑

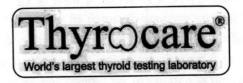

Thyrocare®

World's largest thyroid testing laboratory

डॉ. ए. वेलुमानी

"शुरुआती दौर में मेरा कोई बड़ा सपना एवं व्यावसायिक प्रादर्श नहीं था। आगे चलकर कुछ विचार आए और माहौल ने मदद की।"

यह उनके लिए बड़ी आश्चर्यजनक कहानी है, जो शासकीय नौकरियों के रूप में सुरक्षित कॅरियर रखते हैं। वे या उनमें से अधिकतर बड़ा सुरक्षित दायरा रखते हैं। भाभा परमाणु अनुसंधान केंद्र के अस्पताल में वैज्ञानिक अधिकारी के रूप में पदस्थ एवं रक्त नमूनों पर थायराइड परीक्षण करनेवाले वेलुमानी भी काफी आराम की शासकीय सेवा में रत थे। उनके जेहन में ऐसा विचार उपजा कि अपनी स्वयं की प्रयोगशाला स्थापित करके वे अपेक्षाकृत काफी ज्यादा पैसा कमा सकते हैं। उन्होंने वैसा ही किया। आज 50,000 करोड़ रुपए के टर्नओवर में उनका लाभ 30 करोड़ रुपए है। उन्होंने सन् 1995 में 95,000 रुपए की प्रॉविडेंट फंड की राशि से अपना व्यवसाय प्रारंभ किया था। आज उनकी कंपनी का मूल्यांकन उसकी क्षमता व ताकत अर्थात् उनकी शिक्षा (विज्ञान स्नातक), थायराइड में मददगार उनकी स्नातकोत्तर डिग्री व डॉक्टरेट शोध लेखों के आधार पर किया जाता है। सन् 1995 में उनके लगभग 3,000 प्रतियोगी थे। उन्होंने पहले मुंबई में आसपास के कस्बों तदुपरांत देश भर

में रक्त नमूना संग्रह केंद्रों का नेटवर्क बढ़ाना शुरू कर प्रतिदिन 12,000 रक्त नमूने संग्रह करना प्रारंभ किया।

जब कोई व्यक्ति उद्यमी के रूप में कदम उठाता है तो उसे यह जानकारी नहीं होती कि कब, कहाँ और कैसे उसकी सफलता की शुरुआत होगी। हममें से कई इसे 'लक फैक्टर' कहते हैं। जी हाँ, लेकिन जब आप उद्यम प्रारंभ करते हैं तो भाग्य मात्र 30 प्रतिशत होता है, जबकि कर्म 70 प्रतिशत। उनके व्यवसाय में सकारात्मक मोड़ तब आया जब भारी तादाद में रक्त के नमूने मितव्ययितापूर्ण एवं सुविधाजनक हो गए, जिसके कारण रक्त परीक्षण का कुशल व्यवसाय प्रभावशाली हो गया। कुछ अच्छा या सकारात्मक घटित होना ही उद्यमी की सफलता का रहस्य है। वर्ष 2001 तक उनके देश भर में 300 से ज्यादा शहरों में साझेदार थे। यही उनके उस उद्यम कौशल (जिसमें एक अच्छे मनुष्य होने के आधारभूत मूल्य, विश्वास एवं नैतिकता भी सम्मिलित हैं) की कामयाब गाथा है। उनके साझेदारों में छोटे लैब, अस्पताल और ऐसे चिकित्सक सम्मिलित हैं, जो किसी अस्पताल से जुड़े हुए नहीं हैं।

उत्कृष्ट सेवा प्रदान करनेवाली कुरियर कंपनियों, जो स्वयं भी उद्यमी हैं तथा एस.टी.डी. की घटी दरों ने उनकी सफलता में काफी योगदान दिया है।

मेरा भारत ऐसे उद्यमियों के लिए चमक रहा है, जो अपने आराम के दायरे (कंफर्ट जोन) से बाहर निकलने का निर्णय लेते हैं।

❑

डॉ. जी. वेंकटस्वामी

डॉ. गोविंदप्पा वेंकटस्वामी, जिन्हें अमेरिका में प्यार से 'डॉ. वी.' भी संबोधित किया जाता है, ने मैकडोनॉल्ड्स रेस्टोरेंट्स एवं उनके असेंबली लाइन ऑपरेशंस और मानकीकरण का सामना किया। एक शताब्दी पूर्व हेनरी फोर्ड ने अपनी कंपनी में असेंबली लाइन निर्माण का तरीका शुरू किया था। डॉ. वी. ने अंधत्व को कम करने की दिशा में इस युक्ति को अपने जीवन के मिशन में एक शुरुआत के तौर पर महसूस किया। उन्होंने सफलतापूर्वक आँख के डॉक्टरों, नर्सों और सहायक स्टाफ को जोड़कर एक उत्साही एवं लक्ष्यपरक दल का गठन कर लिया, जिसका उद्‌देश्य संसार के सबसे विशाल नेत्र चिकित्सा संस्थान की उपलब्धि थी। एक औसत नेत्र चिकित्सक वर्ष में 250–400 मरीजों का ऑपरेशन करता है, जबकि मैकडोनॉल्ड से प्रेरित असेंबली लाइन तकनीकों का प्रयोग करते हुए एक अरविंद नेत्र चिकित्सक प्रतिवर्ष 2,000 मरीजों का ऑपरेशन करता है।

संसार में लगभग 2.4 करोड़ अंधे लोग हैं, जिसमें से एक-तिहाई अकारण अंधत्व के शिकार हैं, जिसका तात्पर्य यह है कि उन्हें अंधेपन से ग्रस्त रहने से बचाया जा सकता है। नेत्र सर्जरी के माध्यम से उनके अंधत्व को ठीक किया जा सकता है। उन्होंने अरविंद संस्थान में एक सर्जन की उत्पादकता में लागत में कमी के साथ वृद्धि करना तय किया है। उनके केवल 30 प्रतिशत मरीज चिकित्सा व्यय का भुगतान करते हैं। शेष 70 प्रतिशत मरीज लगभग मुफ्त में इलाज प्राप्त करते हैं। वे लाभ भी कमाते हैं, लेकिन अनुदान स्वीकार नहीं करते हैं।

डॉ. वी. अब नहीं रहे, किंतु उनके मिशन को डॉ. पी. नंपेरुमलसामी द्वारा अनवरत चलाया जा रहा है। उन्हें *'टाइम'* पत्रिका के मई 2010 अंक में विश्व के 100 सर्वाधिक प्रभावशाली लोगों में से एक घोषित किया गया है। विश्व के विशालतम नेत्र सुरक्षा संस्थान अरविंद, की शुरुआत तमिलनाडु में किराए के एक मकान में की गई थी। यह प्रतिवर्ष 15 मिनट प्रति मरीज की दर से देश के 36 लाख नेत्रहीनों को पुनः ज्योति प्रदान कर रहा है। इनका व्यावसायिक प्रादर्श भी उतना ही उत्तम है—30 प्रतिशत फीस वहन करने की क्षमता रखनेवाले मरीज 70 प्रतिशत फीस वहन न कर सकनेवाले गरीब मरीजों को मुफ्त इलाज प्रदान करने में सहायता कर रहे हैं।

❑

डॉ. देवी प्रसाद शेट्टी

"मिशन : आम लोगों के लिए स्वास्थ्य देखभाल की व्यवस्था करना।"

यदि आपकी इच्छा कभी मदर टेरेसा की कृपा प्राप्त एक अच्छे मनुष्य से मिलने की हो तो वह हैं डॉ. शेट्टी। 50 वर्षीय, खूबसूरत डॉ. शेट्टी चिकित्सा के क्षेत्र में महान् हस्ती हैं। वह निर्माण व्यवसाय से जुड़े परिवार के 9 बच्चों में से एक थे। उनके माता-पिता लगातार बीमार रहते थे और उन्होंने अपना बचपन अपनी माँ को खो देने के भय के साए में बिताया। इससे उन्हें डॉक्टर बनने की प्रेरणा मिली। उन्होंने बेंगलुरु से एम.बी.बी.एस. और एम.एस. किया और ब्रिटेन में प्रशिक्षण लिया। वह 1983 और '89 के दौरान लंदन के गाइस हॉस्पिटल में कार्डियो-थोरेसिक यूनिट में कार्यरत रहे।

सन् 1990 में वे 9 दिन की उम्र के बच्चे की ओपन हार्ट सर्जरी करके भारत के प्रथम नियोनेटल हार्ट सर्जन बने। उनके व्यावसायिक श्रेयों में ऐसे ही कई कार्य सम्मिलित हैं। वह नारायण हृदयालय में अपनी टीम के लिए विख्यात हैं। वह 12 वर्ष से कम आयु के बच्चों का मुफ्त ऑपरेशन करते हैं। उनके ज्यादातर ऑपरेशन बच्चों के ही होते हैं। उन्होंने दुनिया की सबसे सस्ती स्वास्थ्य बीमा पॉलिसी 10 रुपए प्रतिमाह 'यशस्विनी' का लेखन किया, जिसे कर्नाटक सरकार की मदद से

गरीब किसानों के लिए जारी किया गया। उनका सपना हार्ट सर्जरी को उचित व वहनीय बनाने का है, जिसे वह भारत के प्रत्येक राज्य में हृदय रोग अस्पतालों की श्रृंखला स्थापित करके पूरा करना चाहते हैं। उन अस्पतालों में ज्यादा-से-ज्यादा मरीजों का इलाज हो सकेगा (अधिकतर का मुफ्त)। भारत आने के पश्चात् वे और उनकी टीम ने कोलकाता में 140 बिस्तरोंवाला एक अस्पताल शुरू किया, जहाँ उन्हें मदर टेरेसा के हृदय की देखभाल के लिए ड्यूटी पर लगाया गया था। सन् 1997 में उन्होंने अपनी टीम के साथ महिपाल हार्ट फाउंडेशन की स्थापना की। इस 450 बिस्तरोंवाले अस्पताल में हार्ट सर्जरी की सुविधा उपलब्ध है।

"जब आप अपना कार्य बिना किसी परिणाम की परवाह किए मात्र दूसरों के जीवन में खुशी लाने के लिए करते हैं, तभी महसूस करते हैं कि ये आपके हाथ नहीं हैं, जो काम में लगे हैं, ये तो ईश्वर के हाथ हैं।"—डॉ. शेट्टी

❑

डॉ. प्रताप सी. रेड्डी

"भारतीय उद्यमी यह महसूस कर रहे हैं कि बड़े उपक्रमों का प्रबंधन प्रभावी तौर पर पारिवारिक सदस्यों द्वारा नहीं किया जा सकता।"

वह मेरे पुराने स्थायी उद्यमी हैं, जिन्हें हमने प्रतिवर्ष अपने वार्षिक योजनाकारों में शामिल किया है। उन्होंने सन् 1983 में 150 बिस्तरों वाले अस्पताल के साथ उद्यम क्षेत्र में कदम रखा। आज भारत एवं विदेशों में उनके लगभग 8,000 बिस्तरों वाले 46 अस्पताल हैं। उनके अस्पतालों में डायग्नोस्टिक क्लीनिकों, फार्मेसियों, मेडिकल बी.पी.ओ., स्वास्थ्य बीमा सेवाओं एवं क्लीनिकल रिसर्च डिवीजनों के नेटवर्क से सज्जित एवं पूर्णरूपेण सुरक्षित हैं, ताकि यह भारत की विशालतम् स्वास्थ्य शृंखला बन सके।

उनकी चार बेटियाँ–प्रीथा, सुनीता, संगीता और शोभना हैं, जो अपोलो ग्रुप के प्रबंधन की बागडोर सँभाले हुए हैं। उनके कुशल प्रबंधन की बदौलत ही यह समूह नई–नई ऊँचाइयाँ छू सका है। लेकिन परिवार के सदस्यों के भरसक प्रयास के

पश्चात् प्रबंधन यह महसूस करता है कि प्रबंधकीय कार्य पेशेवरों द्वारा किया जाए और परिवार के सदस्य उनके उद्यमीय प्रयासों तथा तब उठाए गए जोखिम का फल चखें, जब उनका उपक्रम संघर्ष कर रहा था।

एक प्रतियोगी अस्पताल शृंखला मनीपाल हेल्थ केयर के पूर्व सी.ई.ओ. और प्रबंध निदेशक आर. बसिल कार्यकारी अध्यक्ष के रूप में इस ग्रुप में शामिल हुए हैं। साथ ही इस ग्रुप में पाँच अन्य कार्यकारियों की सेवाओं को प्राप्त करने की प्रक्रिया चल रही है, ताकि यह एक व्यावसायिक रूप से प्रबंधित कंपनी कहला सके। एक समय ऐसा आता है, जब कार्यविधि के आकार व जटिलता के कारण प्रत्येक व्यावसायिक भाग की क्षमता के साथ न्याय करना आवश्यक हो जाता है।

डॉ. रेड्डी अपने प्रवर्तनशील प्रयासों से निम्न लागत पर दुनिया को उच्च गुणवत्ता की स्वास्थ्य सुविधाएँ उपलब्ध कराना चाहते हैं। भारत में किसी अन्य क्षेत्र की तरह हमारे सामने बड़ी चुनौतियों के साथ-साथ बड़े अवसर भी हैं। हमारे देश में दुनिया के सर्वाधिक डायबिटीज मरीज हैं। हृदय रोग, कैंसर इत्यादि की भी समस्याएँ हैं। अस्पताल में प्रति व्यक्ति बिस्तर, चिकित्सकों का अभाव, नर्स व अर्धचिकित्सीय कर्मचारियों की कमी की चुनौतियों का सामना हमें करना है। पर्याप्त चिकित्सीय सुविधाओं के बिना हमारी समृद्धि हमेशा अधूरी रहेगी। मुझे यकीन है कि अपने ग्रुप के व्यवसायीकरण की दिशा में उठाए गए डॉ. रेड्डी के कदम से भारत में अनेक और उद्यमियों को प्रेरणा व प्रोत्साहन प्राप्त हो सकता है। ❑

Sulabh International
Social Service Organisation

डॉ. बिंदेश्वर पाठक

"खुले में शौच–70 प्रतिशत भारतीयों में अभी भी यह जारी है और इसीलिए हमें बिना रुके चलते ही जाना है।"

बहुत से उद्यमियों की तरह बिंदेश्वर पाठक भी एक आकस्मिक और सचमुच विश्व स्तरीय उद्यमी हैं। एक नवविवाहिता दुलहन को मैला साफ करने पर मजबूर किए जाते हुए देखकर उनके जीवन की दिशा ही बदल गई। उन्हें पहला सार्वजनिक शुलभ शौचालय बनाने के लिए अपनी पत्नी के गहने और कुछ जमीन बेचनी पड़ी। वे गांधीवादी मूल्यों को मानते हैं। उन्होंने सन् 1985 में निम्न लागत की स्वच्छता प्रणाली के माध्यम से सफाई कर्मचारियों की मुक्ति पर पी–एच.डी. की। वह समाजशास्त्र और अंग्रेजी में एम.ए. एवं डी.लिट. हैं। सेंट फ्रांसिस पुरस्कार दिए जाने के दौरान जॉन पॉल द्वितीय ने उनकी बातों पर गौर फरमाया। उन्हें कई अंतरराष्ट्रीय पुरस्कारों से सम्मानित किया गया है।

सन् 1970 में उन्होंने सुलभ इंटरनेशनल सोशल सर्विस आर्गेनाइजेशन की स्थापना की। यह आज राष्ट्रीय और अंतरराष्ट्रीय स्तर पर मान्यता प्राप्त सबसे बड़ा भारतीय सामाजिक सेवा संस्थान बन गया है। इसमें 50,000 स्वयंसेवी लगे हुए हैं, जो मानवाधिकार, वातावरणीय स्वच्छता, स्वास्थ्य इत्यादि के प्रोत्साहन कार्य में जुटे हुए हैं। इनके द्वारा आविष्कृत ऑन–साइट ह्यूमन वेस्ट तकनीक काफी कारगर

है। इन स्नान, वस्त्र सफाई, टॉयलेट-यूरिनल सुविधाओं का प्रयोग प्रतिदिन लगभग 1 करोड़ लोगों द्वारा किया जाता है। संयुक्त राष्ट्र के मानव बस्ती केंद्र द्वारा सुलभ शौचालय की लागत प्रभावी और उपयुक्त सफाई प्रणाली को अर्बन बेस्ट प्रैक्टिस के रूप में अंतरराष्ट्रीय मान्यता प्रदान की गई है।

उन्होंने यह कार्यान्वित कर दिखाया है कि दिमाग का प्रयोग ज्ञान की अपेक्षा ज्यादा महत्त्वपूर्ण है। यह व्यावसायिक प्रसम पर नहीं है किंतु इसका प्रसम व्यवसाय के लिए अच्छा है। यही वजह है कि हार्वर्ड, स्टेनफोर्ड और बर्केले जैसे व्यावसायिक स्कूल इस मॉडल का अध्ययन कर रहे हैं। उनका सपना गुड़गाँव में सफाई विश्वविद्यालय स्थापित करने का है। उनकी वर्तमान आय लगभग 100 करोड़ रुपए है।

मेरा सोचना है कि पाठक गांधीवादी मूल्यों को जीते हैं, जो इस बात से स्पष्ट है कि वह 50,000 सफाई कर्मचारियों को शारीरिक रूप से सफाई करने और सिर पर मैला ढोने की परंपरा से मुक्त कर चुके हैं। सुलभ द्वारा अब तक 5,500 से अधिक भुगतान पर प्रयोग किए जानेवाले सार्वजनिक शौचालय स्थापित किए जा चुके हैं और लगभग 1 करोड़ शौचालय निजी मकानों में भी निर्मित किए जा चुके हैं।

❑

डी.के. जैन

"सदर बाजार से अमिताभ बच्चन के साथ पार्कर पेन तक।"

सन् 1963 में दविंदर कुमार जैन ने दिल्ली के सदर बाजार में 80 वर्ग फीट के एक ऑफिस से अपनी शुरुआत की। तभी से उन्होंने अपने ब्रांड को घर-घर की जरूरत बना दिया। लेखन उपकरणोंवाले भाग में उनका मार्केट शेयर लगभग 12 प्रतिशत है। एक छोटी-सी शुरुआत के बाद लक्सर आज सभी उम्र एवं आयु वर्ग के लोगों की पसंद बन गया है। वाणिज्य मंत्रालय की प्लास्टिक निर्यात प्रमोशन काउंसिल से उन्हें लगातार सात बार सर्वश्रेष्ठ निर्यातक का पुरस्कार प्राप्त हुआ है। पी.एच.डी.सी.सी.आई. द्वारा उन्हें महत्त्वपूर्ण उद्यमी के रूप में 'एक्सिलेंस-2005' का पुरस्कार दिया गया है। वित्त मंत्रालय द्वारा व्यक्तिगत श्रेणी में सर्वाधिक कर भुगतानकर्ता होने के कारण उन्हें सम्मान-पत्र से सम्मानित किया गया। इसी तरह उनकी उद्यमीय सफलता के लिए कई दूसरे पुरस्कार भी दिए गए हैं। उन्होंने हॉस्पिटैलिटी, फाइबर ऑप्टिक, आई.पी.टी.वी., वी.ओ.आई.पी. अचल संपत्ति, एस.ई.जेड. एवं फुटकर क्षेत्रों में सफलतापूर्वक अपना व्यावसायिक विस्तार किया है। उन्हें लेखन उपकरण वर्ग में लघु पैमाने के निर्माताओं को संगठित करने में भी कामयाबी मिली है, जिसके एसोसिएशन के देश भर में लगभग 1,000 सदस्य हैं। समाज के प्रति अपने दायित्व निर्वहन में उन्होंने जरूरतमंदों को

शिक्षित करने के लिए लक्सर फाउंडेशन की शुरुआत की है।

उनका व्यावसायिक दर्शन बड़ा सीधा-सादा है—"हमारा प्रमुख फर्क यह है कि हम अपने पेन व्यवसाय को उपभोक्ता के नजरिए से देखते हैं। एक बच्चे की आवश्यकता—रंगीन पेन और क्रेयन्स से शुरू करके हम उसी दृष्टिकोण से उसे तैयार करते हैं।" उनके उत्पादों को बच्चों के लिए सुरक्षित बताते हुए अमेरिकन आर्ट्सं एंड क्रॉफ्ट इंस्टीट्यूट द्वारा प्रमाणित किया गया है। लगभग 250 करोड़ रुपए के टर्नओवर और लाखों पेन प्रतिदिन की दर से बेचने की क्षमता के साथ आज वह भारत के सबसे बड़े लेखन उपकरण निर्माता बन गए हैं। यह आई.एस.ओ. 9001-2000 प्रमाणित कंपनी है, जिसके लक्सर, पार्कर, पाइलट, पेपरमेट और वाटरमेन जैसे ब्रांडों के फ्रेंचाइजी प्रबंध हैं। आज लक्जर 75 देशों को निर्यात करती है और लगभग 125 देशों में लक्जर ब्रांड पंजीकृत है।

❑

make my trip .com

दीपक कालरा

"जो लोग आपकी धारणा या काम करने के तरीके को चुनौती देते हैं, वे आपके सबसे अच्छे दोस्त हैं और जो आपकी हाँ-में-हाँ मिलाते रहते हैं, वे आपके सबसे बड़े दुश्मन हैं।"

दीपक कालरा वह व्यक्ति हैं, जिन्हें विज्ञापन एजेंसियों द्वारा एयरलाइन कमर्शियल के सितारे के रूप में चुना गया है। वे एक ऐसे बैंकर के रूप में मशहूर हैं, जो पूरी दुनिया की यात्रा करते हुए भी परिवार की जिम्मेदारियों को बखूबी निभाते हैं।

सेंट स्टीफेंस से बी.ए. करने के बाद दीपक ने आई.आई.एम. अहमदाबाद ये एम.बी.ए. किया और फिर ए.बी.एन. एमरो बैंक ज्वॉइन कर लिया। अभी उन्हें नौकरी करते हुए एक साल भी नहीं हुआ था कि उन्होंने फैसला कर लिया कि नौकरी नहीं करनी है। बस, अब अपना कोई स्वयं का काम करना है। इसी दौरान उनकी मुलाकात rediffmail.com के अजीत बालाकृष्णन, naukri.com के संजीव बिखचंदानी और sify.com के लोगों से हुई। इन लोगों से मुलाकात के बाद उनकी अपना काम करने की अवधारणा

को बल मिला। इस तरह नई सोच के साथ 2000-2001 में भारतीय बाजार में एक नाम आया makemytrip.com

दीपक के नेतृत्व में 'मेक माई ट्रिप' कंपनी ने 2005 के आते-आते एक अच्छा-खासा व्यवसाय कर लिया था। इस ट्रैवल कंपनी ने दिन-पर-दिन सफलता के नए-नए आयाम गढ़ने शुरू कर दिए। इसी वर्ष कंपनी ऑनलाइन ट्रैवल की पर्याय बन गई, जिसके ट्रैवल पोर्टल ने खूब विज्ञापन किया और अभी भी बड़े धड़ल्ले से कर रहे हैं।

मार्च 2008 तक 'मेक माई ट्रिप' कंपनी ने 25 करोड़ डॉलर की बिक्री की थी। यानी लगभग 1,000 करोड़ रुपए। इसके अलावा एक और चौंकानेवाली बड़ी बात यह है कि व्यवसाय शुरू करने के 11 महीने के अंदर ही यह कंपनी किसी अकेली ट्रैवल एजेंसी के लिए एयर टिकट जारी करनेवाली सबसे बड़ी कंपनी बन गई।

दीपक का कहना है कि अब उनके सामने बड़ी चुनौती यह है कि कंपनी के अन्य उत्पादों को ऑनलाइन बेचा जाए। वे कहते हैं कि अकसर लोग जानकारी तो ऑनलाइन प्राप्त कर लेते हैं, लेकिन खरीदारी ऑफलाइन की करते हैं। दूसरी ओर कंपनी का हॉलीडे पैकेज भी खूब लोकप्रियता से बिक रहा है। कंपनी के पास ऐसे प्रतिभाशाली कर्मचारियों की टीम है, जो फोन के माध्यम से पैकेज बेचते हैं। कंपनी ने देश भर में 20 ट्रैवल स्टोर खोल रखे हैं, जो विभिन्न क्षेत्रों में हॉलीडे पैकेज बेचते हैं।

दीपक कहते हैं कि थोड़े समय में मैंने व्यवसाय के बारे में काफी कुछ सीख लिया है, लेकिन साथ ही यह भी सीखा है कि एक उद्यमी की राह कभी भी आसान नहीं होती। कदम-कदम पर उसे अनेक कठिनाइयों का सामना करना पड़ता है और जो इन कठिनाइयों का डटकर साहस से सामना करता है, उसे ही सफलता का स्वाद चखने को मिलता है।

❑

धर्मपाल गुलाटी

"मेरी कामयाबी में मेरी कठिनाइयों, जिनमें देश के विभाजन से लेकर घरेलू विवाद भी सम्मिलित है, ने बड़ा योगदान दिया।"

जी हाँ, यह जीरो से हीरो की तर्ज पर एक ताँगा चलाने व खींचने से लेकर 500 करोड़ रुपए की हैसियत की एम.डी.एच. ब्रांडवाली उद्यमिता की सफल कहानी है। पाकिस्तान से अपना कारोबार शुरू करनेवाले श्री गुलाटी ने पाँचवीं कक्षा के दौरान ही अपनी पढ़ाई छोड़ दी थी। उसके पश्चात् भारत आकर उन्होंने कई व्यवसायों में अपना हाथ आजमाया। वह आजीविका के लिए ताँगा चलाने का काम करते थे, लेकिन यह उन्हें पसंद नहीं आया। अंततः उन्होंने मसाला बनाकर बेचने के अपने पैतृक व्यवसाय को ही अपनाने का निर्णय लिया। उद्यमिता की प्रेरणा ने उनकी अटकलों को एक दृष्टिकोण दिया और तत्कालीन प्रचलन के खिलाफ उन्होंने पैक किए हुए मसाले के व्यवसाय में कदम रखा। भारतीय तब ताजे पिसे मसालों का उपयोग करने के आदी थे। उन्होंने आगे कदम बढ़ाया और पैकेजिंग में अपनी पहचान बनाने का निर्णय लिया, ठीक उसी तरह जैसे ली लैकोका ने अपने क्रिसलर के विज्ञापन में किया था, 'क्या आप मेरी कार नहीं खरीदेंगे!' उन्होंने

स्ट्रीट स्मार्टनेस से अपनी शिक्षा पूरी की, जिससे उन्हें बहुत से व्यावसायिक चातुर्य प्राप्त हुए।

उन्होंने एक बड़ा कदम उठाया। जब उनका मसालों का व्यवसाय शैशवावस्था में संघर्षरत था, तभी पहली बार उन्होंने अपने उत्पादों का विज्ञापन *'प्रताप'* (उर्दू) जैसे क्षेत्रीय भाषावाले समाचार पत्रों में कराया। उनका उद्देश्य लोगों को अपने ब्रांड की जानकारी देना एवं उसे बढ़ावा देना था। उन्होंने विज्ञापन के लिए कभी किसी विज्ञापन एजेंसी का सहारा नहीं लिया। आजकल वह विज्ञापन के लिए समाचार-पत्र एवं पत्रिकाओं की अपेक्षा टेलीविजन पर अपना ज्यादा ध्यान केंद्रित कर रहे हैं, जिसमें वे एक नवविवाहित जोड़े को आशीर्वाद देने एवं रथ पर शाही सवारी करते दिखाई देते हैं। बहुत से लोग इसे अहं की अभिव्यक्ति मान सकते हैं, लेकिन मेरी नजर में उनका विज्ञापन एक अच्छा स्मरण मूल्य रखता है।

मात्र विज्ञापन से उत्पाद नहीं बिकते। ठीक ही कहा गया है कि—'अच्छे विज्ञापन अच्छे उत्पादों को शीघ्र ही बेच देते हैं और गंदे उत्पादों को समाप्त कर देते हैं।' उनके उत्पाद पिछले 60 वर्षों से उच्च गुणवत्ता के मानक पर खरे उतरे हैं। उन्होंने करोल बाग, नई दिल्ली में एक छोटी सी दुकान से अपने कारोबार की शुरुआत की। आज 86 वर्ष की आयु में भी वे अपने ब्रांड के लिए जाने जाते हैं—ताँगे से यात्रा शुरू करके हमारे शयनकक्षों के टी.वी. स्क्रीन तक।

❑

Infosys®

नंदन नीलकेनी

एक 'इमेजिनिंग इंडिया' लिखकर नंदन नीलकेनी ने एक अच्छा आर.एंड डी. किया है। अंग्रेजी की शुरुआत नाविकों एवं व्यापारियों की भाषा के रूप में ज्यादातर समुद्री बंदरगाहों में हुई। अंग्रेज हमें अंग्रेजी सिखाने के प्रति अनिच्छुक थे, क्योंकि अमेरिकियों को इस भाषा को सिखाने की गलती वे कर चुके थे, जिन्होंने तत्पश्चात् अपनी स्वतंत्रता हासिल कर ली। लेकिन जीवन मजेदार है। कुछ ही दशकों के बाद इंग्लैंड ने महसूस किया कि अंग्रेज कर्मचारियों के बल पर हम पर शासन करना बहुत ही महँगा पड़ेगा। इसीलिए लागत घटाने की युक्ति के रूप में वे भारत में अंग्रेजी लाए और अच्छी तरह अंग्रेजी सीखने के पश्चात् अमेरिकियों की तर्ज पर हमने भी स्वतंत्रता हासिल कर ली।

अंग्रेजी सीखने के प्रति लोगों में काफी अनिच्छा के भाव थे, लेकिन धीरे-धीरे भारतीयों ने यह महसूस किया कि वे अच्छी नौकरी तभी पा सकते थे, जब उन्हें अंग्रेजी का प्रयोग आए। आज अंग्रेजी भाषा हमारी सबसे बड़ी ताकत है। तब भी जब हमारी चीन से होड़ रहे। मुझे आश्चर्य है कि एक दशक पूर्व अहमदाबाद मैनेजमेंट एसोसिएशन ने बड़ी उम्र के लोगों को अंग्रेजी सिखाने का नियमित पाठ्यक्रम जारी रखा था। यदि कभी आपकी इच्छा एक सुप्रबंधित संस्थान को देखने की हो तो वहाँ जाकर केरल के के.के. नैयर से मिलिए।

अब लगभग प्रत्येक भारतीय अंग्रेजी सीख रहा है। एक ग्रामीण ने बताया कि

उसके एक मित्र को एक कार्यालय में चपरासी की नौकरी मिल गई। उसका एक अन्य मित्र, जिसने कुछ अंग्रेजी सीखी थी, वह न केवल चपरासी बना बल्कि, चपरासी से कुछ बढ़कर था। इसकी वजह यह थी कि चाय-पानी के अलावा वह ऑफिस के छोटे-मोटे कामों में भी सहायक हो पाता था। हममें से अधिकतर जो किसी हद तक अच्छा कर पा रहे हैं, वह इसलिए कि हमें अंग्रेजी आती है तो यदि आप ज्यादा बेहतर करना चाहते हैं तो सार्वजनिक रूप से अंग्रेजी बोलना शुरू कीजिए, साथ ही लिखना भी सीखिए। अपनी झिझक को तिलांजलि दीजिए। इस बेहतरीन पुस्तक को पढ़कर अपने देश के विषय में अपने ज्ञान को अद्यतन कीजिए। नंदन को प्रधानमंत्री द्वारा प्रत्येक भारतीय को वर्ष 2011 तक एक अनोखी राष्ट्रीय पहचान हासिल कराने की परियोजना के प्रमुख के रूप में चुना गया है। उनका यह ओहदा कैबिनेट मंत्री की श्रेणी का है। यह एक अच्छी सोच है कि सरकार ने निजी क्षेत्र से पेशेवरों को साथ लेना शुरू कर दिया है।

❑

JET AIRWAYS

नरेश गोयल

"उन्होंने अपने मामा की कंपनी में 300 रुपए प्रतिमाह के वेतन पर खजाँची के पद पर कार्य करते हुए अपने कॅरियर की शुरुआत की और 100 सर्वाधिक धनी भारतीयों की सूची में अपना नाम दर्ज कराया।"

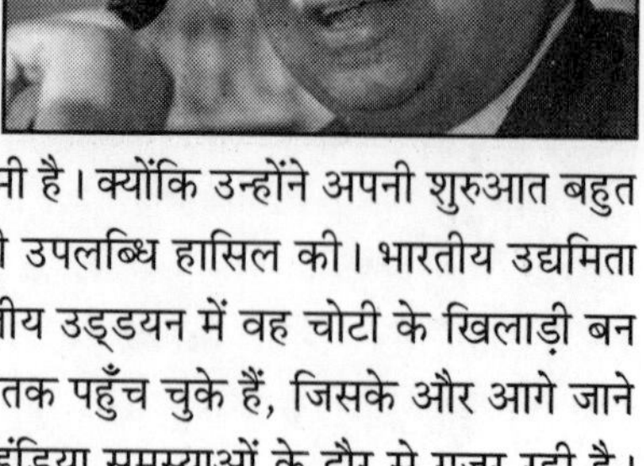

फोर्ब्स इंडिया, फरवरी 2009 के अंक में प्रकाशित 100 सर्वाधिक धनी व्यक्तियों की सूची में नरेश गोयल का नाम 75वें नंबर पर है, जबकि *'इंडिया टुडे'* के मार्च, 2010 अंक में हाइ एंड माइटी पॉवर लिस्ट–2010 में 41वें नंबर पर। वह मेरे एनुअल प्लानर्स का स्थायी उद्यमी है। क्योंकि उन्होंने अपनी शुरुआत बहुत थोड़े से करके 62 वर्ष की आयु में बड़ी उपलब्धि हासिल की। भारतीय उद्यमिता का वह सातवाँ आश्चर्य है क्योंकि भारतीय उड्डयन में वह चोटी के खिलाड़ी बन गए हैं। वह मार्केट शेयर में 25 प्रतिशत तक पहुँच चुके हैं, जिसके और आगे जाने की संभावना है, वह भी तब जब एयर इंडिया समस्याओं के दौर से गुजर रही है।

उनकी परेशानियाँ अंतरराष्ट्रीय मंदी, ऊँची तेल दर और बहुत से विशेषज्ञों की नियुक्ति के, जिसने उनके भारतीय स्टाफ के बीच असंतुष्टि पैदा की है, कारण हैं। किंतु उनका मंत्र यही है कि ज्यादा संकट तुम्हें अपने व्यवसाय को बेहतर ढंग से करने की सीख देते हैं। वह एक विश्व स्तरीय एयरलाइंस के मालिक होने का सपना साकार करने में सफल रहे हैं। उनका अडिग विश्वास है कि अपनी एयरलाइंस को विश्व स्तरीय बनाने के लिए उन्हें विश्व स्तरीय प्रतिभाओं का प्रयोग करना होगा चाहे वे दुनिया में कहीं भी मिलें। भारतीय स्टाफ पर इसका परिणाम शीशे की छत से निहारने जैसा होता है। खैर, विपरीत परिस्थितियाँ हर किसी की बेहतरीन क्षमता को निखारती हैं। उन्होंने कई पुरस्कार जीते हैं।

पटियाला से स्नातक की शिक्षा पूरी कर नरेश गोयल लेबनीज इंटरनेशनल एयरलाइंस में कर्मचारी हो गए। यहाँ से अनुभव, विशिष्टता एवं तकनीकी ज्ञान प्राप्त कर नरेश जेट एयर (प्राइवेट) लिमिटेड के साथ भारत में, विदेशी मार्केटिंग प्रतिनिधित्व उपलब्ध कराने के उद्देश्य से जुड़ गए। सन् 1991 में जारी व्यवसाय विस्तार कार्यक्रम के तहत उन्होंने अपनी जेट एयरवेज (इंडिया) प्राइवेट लिमिटेड की स्थापना करने के लिए भारतीय अर्थव्यवस्था की खुली नीति और ओपन स्काई पॉलिसी की पहल का फायदा उठाया।

उनकी अविश्वसनीय सफलता का श्रेय आंशिक रूप से उचित समय एवं उचित स्थान पर उनके मित्रों तथा उनके संरक्षक स्वर्गीय जे.आर.डी. टाटा को दिया जा सकता है। उन्हें एवं उनकी पत्नी को ब्रिटेन में सर्वाधिक प्रसार संख्यावाले अखबार 'एशियन वॉयस' के पाठकों द्वारा वर्ष के अंतरराष्ट्रीय उद्यमी के रूप में चुना गया है।

❑

नल्ली कुप्पुस्वामी चेत्तियार

"अंततः हमेशा की तरह भाग्य एवं समय से उठाए गए कदमों ने नल्ली की उद्यमीय सफलता में भूमिका निभाई।"

नल्ली कुप्पुस्वामी चेत्तियार के दादा चिन्नास्वामी ने कांचीपुरम कस्बे में एक करघे से बुनकरी के पैतृक व्यवसाय की शुरुआत की थी। उस समय तीन लोग रेशमी वस्त्र बनानेवाले थे, जिनके नियंत्रण में 2,000 करघे थे। उन दिनों ऑर्डर पर साड़ियाँ तैयार की जाती थीं। ग्राहक इस मंदिरवाले शहर में आकर साड़ियाँ (विशेषकर विवाह वाली) तैयार करने का ऑर्डर दिया करते थे। चिन्नास्वामी ने इस दायरे से बाहर आने की सोचते हुए चेन्नई के टी. नगर में पहला फुटकर काउंटर खोला। यह उद्यम के क्षेत्र में उनका पहला कदम था। वह छह और नौ गज की असली कांचीपुरम की साड़ी 12 रुपए से 18 रुपए के बीच की कीमत से बेचते थे और उनका नाती उसी साड़ी को 5,000 रुपए से 1,00,000 रुपए के बीच नल्ली में हेमामालिनी जैसे वी.आई.पी. लोगों को बेचता है।

चिन्नस्वामी का दूसरा उद्यमीय कार्य, जो काफी कामयाब भी रहा, यह था कि वे सन् 1939 में द्वितीय विश्व युद्ध के दौरान चेन्नई में ही रहने के निश्चय पर अटल रहे, जबकि बहुतेरे लोग बमबारी के भय से शहर छोड़कर चले गए थे।

इससे नल्ली को अपना ब्रांड स्थापित करने में काफी मदद मिली, जो कि तब मात्र एक दुकान के रूप में कार्यरत था।

किसी भी उद्यमीय सफलता की कहानी में भाग्य और समय के अलावा सफलता के तथ्य को कोई भी निर्दिष्ट नहीं कर सकता। पहले तो नल्ली रेशमी साड़ियों का मात्र उत्पादन एवं विक्रय कर रहे थे; किंतु इसकी यू.एस.पी. अब शुद्ध जरीवाली कांची सिल्क ही है। अब कांचीपुरम से कैलिफोर्निया एवं सिंगापुर तक इसकी 22 शाखाएँ हैं। सन् 1916 में हुई शुरुआत के बाद आज यह 500 करोड़ के ब्रांड का व्यवसाय बन चुका है।

नल्ली साड़ी के फुटकर व्यवसाय में सबसे प्रारंभ में प्रवेश करनेवालों में एक थे। पहले आओ, पहले पाओ। लेकिन आज तुम्हें पहले पाने के लिए पहले आने के साथ अपेक्षाकृत चालाक भी होना पड़ेगा, जो कि चेतियार परिवार की तीन पीढ़ियों से प्रकट होता है, जबकि चौथी पीढ़ी के हार्वर्ड यूनिवर्सिटी से एम.बी.ए. लावण्य नल्ली हस्तकलावाली ऊँचे छोर की साड़ियों के निर्माण में लग गए। एवं बंगलुरु और चेन्नई में दो स्टोर्स भी प्रारंभ कर दिए। कोई भी उद्यम ट्रेडमिल पर दौड़ने के समान है। यदि आप रुकते हैं तो आप पीछे की ओर चले जाते हैं और बहुत ज्यादा संभावना गिर जाने की होती है।

❑

नवनीत कथालिया

"बहुत सी बातें प्रतिकूल परिस्थितियों में सीखी जाती हैं, क्योंकि प्रतिकूल परिस्थितियाँ बुद्धिमानों एवं मेहनतकश लोगों के सर्वोत्तम गुणों को विकसित करती हैं।"

नवनीत का सपना अमेरिका से अंतरराष्ट्रीय व्यवसाय में एम.बी.ए. करने का था, लेकिन 19 वर्ष की उम्र में अचानक उनके पिता की मृत्यु हो जाने से उनका सपना टूट गया। वह 11 सदस्यों वाले परिवार के सबसे बड़े बेटे थे। इस प्रतिकूलता ने उन्हें अपने पिता का चेवरोलेट ट्रक पार्ट्‌र्स का व्यवसाय सँभालने पर मजबूर कर दिया, जो कि 200 वर्ग फीट की एक दुकान पर संचालित था। उन्होंने शीघ्रता से असहनीय को सहन करना, अस्वीकार्य को स्वीकार करना सीख लिया। उन्होंने पिता के व्यवसाय (जो कि द्वितीय विश्व युद्ध के दौरान की प्रतिकूलताओं से ग्रसित था) प्रणाली को स्मरण करते हुए प्रबंधन के तौर-तरीके सीखे। उन्होंने अपने व्यवसाय नवनीत ग्रुप के 1,000 करोड़ टर्नओवर की सफलता का श्रेय उन मूल्यों को दिया, जो उन्होंने अपने पिता से सीखे। अपने भाइयों—सूर्यकांत, विजय, शरद, जयेंद्र, शैलेश, उदय और उनके दो बेटों—आशीष एवं कृष्णा के सहयोग से

Village Square Library
Self Checkout

02:54 PM 2016/01/27

---

1. Adult world languages, 2014
39065138032352 Due: 2/17/2016,23:59

Total 1 item(s)

To check your card and renew items
go to www.calgarypubliclibrary.com
or call 262-2928

वर्षों के दौरान उन्होंने व्यवसाय में काफी बदलाव किया है। परिवार में प्रत्येक को नवनीत व उनके पिता से उद्यमीय गुर हासिल हुए हैं, जिसके परिणामस्वरूप व्यवसाय में आश्चर्यजनक विस्तार एवं विविधताएँ आई हैं। उन्होंने विभिन्न वाहनों का स्पेयर पार्ट्स व्यवसाय चलाने के लिए चार दुकानें जमाने में सफलता पाई। धीमी शुरुआत के साथ वे तेजी से टाटा और ली-लैंड के पार्ट्स बेचने में आगे बढ़े। उनका ब्रांड नाम 'नवनीत' काफी विश्वसनीय एवं भरोसेमंद हो गया।

अब अपने नवनीत ब्रांड नाम व छवि के अधीन उन्हें राष्ट्रीय एवं अंतरराष्ट्रीय स्तर के दुपहिए, तिपहिए तथा चौपहिए की डीलरशिप मिलनी शुरू हो गई। इनमें प्रमुख हैं—फोर्ड ट्रक, आई.एन.डी., सुजुकी, इयर, मारुति, बी.एम.डब्ल्यू. लैंड रोवर, ह्युंदै, रोल्स, रोयस, मेन फोर्स, वोल्वी, होंडा एवं जे.सी.बी.।

आगे चलकर इस ग्रुप ने मेरीन (याट) एवं उड्डयन (वायुयान) व्यवसाय में कदम रखा। आजकल वे भारत आनेवाली लग्जरी कारों की सर्विस कार्य हेतु इंजीनियरिंग या डिप्लोमाधारियों को प्रशिक्षित करने के लिए नवनीत अकादमी का संचालन भी कर रहे हैं। सी.एस.आर. के क्षेत्र में इस समूह की योजना नवनीत फाउंडेशन के अधीन मेडिकल सेंटर की स्थापना करना है। मेरे खयाल से भारत अवसरों का देश बन गया है। 19 वर्ष की उम्र से व्यावसायिक शुरुआत करके वह और उनके परिवार ने इतना कुछ हासिल किया है कि इससे अनेक ऐसे लोगों को प्रेरणा प्राप्त होगी, जो प्रतिकूलताओं से जूझ रहे हैं। उन्होंने अपनी प्रेरणास्पद यात्रा को 'बीइंग नवनीत' शीर्षक से शब्दबद्ध किया है।

❑

निकुंज संघी

"उद्यमिता का उद्देश्य स्व-विकास करना, स्वयं एवं आने वाली पीढ़ियों के लिए धन-संग्रह करना है, जो कि सचमुच एक संभ्रांत व्यवसाय है।"

54 वर्ष की उम्र में निकुंज एफ.ए.डी.ए. (फेडरेशन ऑफ ऑटोमोबाइल डीलर्स एसोसिएशन) के अध्यक्ष हैं, जिसके लगभग 3,000 सदस्य डीलर ऑटो मोबाइल, दुपहिया, ट्रैक्टर एवं वाणिज्यिक वाहनों के लिए देश भर के निर्माताओं का प्रतिनिधित्व करते हैं।

निकुंज के पिता स्व. श्री जसवंत सिंह संघी जयपुर में संयुक्त टेल्को एंड महिंद्रा डीलरशिप के जनरल मैनेजर थे। निकुंज को ऑटो उद्योग का अच्छा वातावरण प्राप्त हुआ। उन्होंने दिल्ली विश्वविद्यालय से एल.एल.बी. की डिग्री ली। साथ ही कंपनी सचिव के लिए भी अर्हता हासिल की। 6 वर्षों तक डी.सी.एम. में प्रबंधकीय पद पर कार्य करने के पश्चात् वर्ष 1985 में महिंद्रा एंड महिंद्रा के डीलर के रूप में उन्होंने ऑटोमोबाइल व्यवसाय में कदम रखा। पिछले 25 वर्षों के दौरान उन्होंने विभिन्न ऑटोमोबाइल निर्माताओं—एल.एम.एल., केल्विनेटर (मोपेड), रॉयल

इनफील्ड मोटर्स का प्रतिनिधित्व किया। वर्तमान में वह हीरो होंडा के भी डीलर हैं। उनकी कर्मचारी संख्या 250 एवं वार्षिक टर्नओवर 130 करोड़ रुपए का है। जे.एस. फोरव्हील मोटर्स के दुपहिया वाहनों की वार्षिक बिक्री लगभग 2,000 है तथा चौपहिया वाहनों की लगभग 8,000। इसके और बढ़ने की संभावना है।

वर्तमान वातावरण में डीलरशिप का प्रबंधन बहुत कठिन है और यदि आप कट्टर व्यावसायिक नहीं हैं तो कुछ ही वर्षों में आपकी शर्ट भी उतर जाएगी। आपको अपने प्रबंधन के प्रमुख, वरिष्ठ एवं मध्यम अधिकारियों से उत्कृष्ट संबंध बनाकर रखने होते हैं। टीम का प्रबंधन उन्हें प्रोत्साहित करते हुए करना होता है, ताकि वे आपके ग्राहकों को उचित सेवा दे सकें। उनकी वर्कशॉप प्रणाली भी उनकी शक्ति है, जिससे वह अपने व्यवसाय का अच्छी तरह निर्माण कर सकते हैं। एफ.ए.डी.ए. के अध्यक्ष होने के कारण उनके लिए एक अच्छी टीम रखना आवश्यक हो जाता है, ताकि वह यह सुनिश्चित कर सकें कि डीलरशिप एक क्षमता से दूसरी क्षमता में आगे बढ़ती है। यह एक ऐसा कार्य है, जिसमें अधिकाधिक उत्साह की आवश्यकता हमेशा आगे बढ़ते रहने के लिए होती है।

लगभग 10 वर्ष पूर्व उनकी अलवर डीलरशिप के मौके पर मैंने एक सेमिनार का आयोजन किया था। उनके डीलरशिप भवन के प्रथम तल पर व्यवस्थित प्रशिक्षण हॉल को देखकर मैं काफी प्रभावित हुआ। यह सेमिनार, वर्कशॉप एवं मीटिंग के लिए पूर्णतः सुसज्जित सभा-भवन था, जो कि तत्कालीन और आज के समय में भी बहुत कम पाया जाता है।

❑

नीतिन नोहरा

"गृह-सज्जा एवं सुविधा प्रबंधन सेवाओं के रास्ते सतारा से टेल्को, फिर संसद्, फिर राष्ट्रपति भवन।"

नीतिन का एच.बी.एस. का डीन बनना यह दरशाने के लिए काफी है कि एक भारतीय के लिए दुनिया में कहीं भी ऊँचाइयाँ छूने की संभावना है। मेरे खयाल से इससे यह सिद्ध होता है कि हमारी शिक्षा-प्रणाली सर्वोत्तम है, जिसमें सुधार भी किया जा सकता है। नीतिन, के.के. नोहरा, पूर्व चेयरमैन क्रॉम्पटन एंड ग्रीव्ज के बेटे हैं। मोनिका उनकी धर्मपत्नी हैं और वे अपनी दो बेटियों के साथ मैसाचुसेट्स में रहते हैं।

सन् 1984 में उन्होंने आई.आई.टी., मुंबई से मेकैनिकल इंजीनियरिंग में बी.टेक. किया। उन्होंने एम.आई.टी. के स्लोन स्कूल ऑफ मैनेजमेंट से प्रबंधन में पी-एच.डी. की। 1988 में वे एच.बी.एस. में सहायक प्राध्यापक, 1996 में लंदन बिजनेस स्कूल में विजिटिंग फैकल्टी और 2010 में एच.बी.एस. के डीन नियुक्त हुए। उनके पिता की इच्छा थी कि वह भारत में उद्यम के क्षेत्र में कदम रखें, जिसके लिए उन्होंने एक संयुक्त व्यवसाय का इंतजाम कर रखा था। किंतु जब बेटे ने शिक्षक बनने की इच्छा जताई तो एक अच्छे पिता की तरह उन्होंने उन्हें नहीं रोका। एक अच्छे अभिभावक की यही पहचान है। नीतिन ने अपने

पिता की समाज-सेवा व नैतिक व्यवसाय संबंधी विचारों से काफी कुछ सीखा। इसी सीख के परिणामस्वरूप उन्होंने एच.बी.एस. का डीन बनने में सफलता पाई। उनके गर्वित पिता ने उन्हें अपने वास्तविक स्वरूप का सम्मान करने तथा विनम्रता प्रकट करने की सीख दी। अपने दायरे से बढ़कर सोच सकने की क्षमता का श्रेय नीतिन आई.आई.टी., मुंबई को देते हैं। अरविंद कुचादकर उनके 'कोई मिल गया' स्तर के शिक्षक थे, जिन्होंने पहचाना कि प्रबंधन के साथ-साथ मानविकी में उनकी रुचि थी और जहाँ तक उनकी इंजीनियरिंग में रुचि होने की बात है, वह सीमित थी।

हार्वर्ड (जिसका मिशन वाक्य है—'ऐसे नेताओं को शिक्षित करना, जो दुनिया में फर्क ला सकें') में अब उन्हें ऐसे नेताओं को शिक्षित करने के लिए आजीवन अवसर मिला है, जो दुनिया में कुछ नया कर सकते हैं। वे प्रबंधन समुदाय के लोगों के लिए 'हिप्पोक्रेटिक ओथ' की धारणा के चैंपियन बन चुके हैं, जिसका उद्देश्य कार्यकारियों को नैतिकता व्यवहार में लाने के लिए प्रोत्साहित करना है। यह शपथ (ओथ) कोई जादुई छड़ी तो नहीं हो सकती, किंतु कॉरपोरेट नैतिकता के विरुद्ध होनेवाले समझौतों के भारी लालच के कारण उत्पन्न वित्तीय संकट के प्रति कुछ दिशा-निर्देश देती है। मेरे विचार से, यदि कार्यकारी इस बात का अनुसरण कर सकें कि—'आवश्यकता पूरी हो सकती है, लालच कभी नहीं' तो हर कोई कॅरियर की मैराथन रेस अपनी नजर में जीत सकता है, भले ही दुनिया की नजर में नहीं।

❑

नीरज गुप्ता

"एक उद्यमी ऐसे उद्‌बिलाव की तरह होता है, जो दिन और रात खुदाई के काम में जुटे हुए अपनी युक्ति, उद्यम को पोषित करता है।"

बहुत से उद्यमियों की तरह नीरज छोटे स्तर से शुरुआत करके आज विदेशों में भारी खिंचाव रखनेवाले रेडियो कैब व्यवसाय में काफी ऊँचाइयों पर हैं। उनके पिता ने, जिनका अपना स्वयं का व्यवसाय है, नीरज को 'जरा हट के' स्वयं कुछ करने के लिए प्रेरित किया। एक ऑटोमोबाइल गैरेज के प्रबंधन में मिली सफलता के कारण उन्हें रेडियो टैक्सी बिजनेस के व्यवसाय में कदम रखने की प्रेरणा मिली। वर्ष 2006 में रेडियो टैक्सी बिजनेस के रूप में शुरू हुई मेरू कैब कंपनी की 3,800 से ज्यादा कैब आज सड़क पर दौड़ रही हैं। नीरज का विश्वास है कि मुंबई जैसे शहर को अधोसंरचनात्मक सुधार की आवश्यकता है और महाराष्ट्र सरकार के साथ उन्होंने एक ऐसी कैब सेवा प्रस्तुत की है, जो कि सिंगापुर एवं लंदन जैसे शहरों की सर्वोत्तम कैब सेवाओं में एक है। आज जी.पी.एस. आधारित डिस्पैच तकनीकी के साथ लोगों को आधुनिकतम, वातानुकूलित कैब में सवारी करने के अवसर उपलब्ध हैं। ग्राहक किसी भी इच्छित स्थान पर टैक्सी बुला सकता है, जिसमें 100 प्रतिशत छेड़खानी-रहित मीटर एवं प्रिंटेड रसीद की सुविधा है। किराया डिपार्टमेंट ऑफ ट्रांसपोर्ट (महाराष्ट्र सरकार) द्वारा जारी किए

गए नियम के अनुसार है और इस किराया राशि में एक छोटा सा प्रीमियम नीरज की कंपनी द्वारा उपलब्ध कराई जा रही श्रेष्ठतर सेवा के लिए जुड़ जाता है। आज देश में हमसे कुछ ही लोग श्रेष्ठतर सेवाएँ, जिसमें पूर्णत: अलग संरक्षा, सुरक्षा और मन की शांति शामिल है, के लिए अतिरिक्त भुगतान करने को तैयार रहते हैं। किंतु 24 X 7 आधार पर नीरज को यह सुनिश्चित करना है कि उसके ड्राइवर और टैक्सियाँ ग्राहकों की उम्मीदों से आगे हैं। मेरू ब्रांड दिल्ली, मुंबई, बेंगलुरु और हैदराबाद में उपलब्ध हैं। यह बंगलुरु और हैदराबाद में नवीन इंटरनेशनल एयरपोर्ट के लिए ऑफिशियल रेडियो टैक्सी सेवा उपलब्ध कराता है।

नीरज ने कई पुरस्कार भी जीते हैं, जिसमें सम्मिलित हैं—मुंबई मैनेजमेंट एसोसिएशन द्वारा प्रदत्त, इंटरप्रिन्योर ऑफ दि ईयर अवार्ड, इंस्टीट्यूट ऑफ इकोनॉमिक स्टडीज द्वारा उद्योग रत्न अवार्ड, ऑल इंडिया पैसेंजर कंपनी अवार्ड, नासकॉम द्वारा बेस्ट आई.टी. यूजर अवार्ड।

❑

पतंजलि केसवानी

"मेरी कंपनी का अस्तित्व मेहमानों की अपेक्षा कर्मचारियों के लिए है। यदि हम अपने से जुड़े लोगों के लिए अच्छे हैं, तो वे स्वाभाविक रूप से मेहमानों के लिए अच्छे होंगे। मेरे लिए तो मेरे ग्राहक मेरे कर्मचारियों के समयकाल तक हैं।"

कहना ठीक है। लेकिन जीवन में ऐसे शब्द प्राय: कहने के लिए ही होते हैं और दकियानूस समझे जाते हैं। लेकिन जब एक उद्यमी सफल हो जाता है तो ऐसी बातें दृष्टिकोण साबित होती हैं। आज वह कामयाब है, इसलिए वह हमारे प्लानर का हिस्सा है। केसवानी के व्यावसायिक दर्शन को समझने के लिए हम आपको केविन फ्रेईबर्ग द्वारा लिखित 'नट्स' पढ़ने की अनुशंसा करते हैं।

केसवानी आई.आई.टी. एवं आई.आई.एम. से पढ़ाई पूरी करने के पश्चात् टाटा ग्रुप के साथ थे। 39 वर्ष की उम्र में वह ताज बिजनेस होटल्स के सी.ओ.ओ. थे। तत्पश्चात् वे ए.टी. कोनी में रहे, जहाँ उन्होंने जोखिम उठाने की योग्यता

सीखी। उन्होंने अपने व्यवसाय की शुरुआत स्वयं की बचत, ऋण एवं मित्रों से उधार लेकर की। आज वे अपने 'सक्सेस मॉडल' को बहुतेरे इक्विटी नियोजकों को सफलतापूर्वक बेच सकते हैं। मेरी नजर में उनकी उद्यमीय सफलता उनकी उत्कृष्ट शिक्षा, उत्कृष्ट कार्यानुभव एवं आतिथ्य उद्योग के वातावरण के कारण है। उन्हें अपना लक्षित कार्यक्षेत्र चार सितारा होटलों में मिला और पंच सितारा होटलों से उन्होंने पैसे का सही मूल्य देकर ग्राहकों को आकर्षित किया। अपने लेमन ट्री होटेल्स में गेस्ट हाउस ग्राहकों हेतु चार सितारा सुविधाएँ मुहैया कर उन्हें अपनी ओर आकृष्ट होने पर बाध्य किया। उनके होटलों के कमरे किसी भी शहर में जहाँ उनके होटल हैं, पंच सितारा होटलों के कमरों की अपेक्षा 50-70 प्रतिशत कम दर पर उपलब्ध होते हैं। उन्होंने तीन-सितारा होटलों के स्तर को उपलब्ध कराने हेतु रेड फॉक्स ब्रांड की शुरुआत की।

कोई भी उद्यमी तब तक सफल नहीं हो सकता जब तक उसने अपनी प्रबंधन टीम को विकसित नहीं किया हो। प्रतियोगिता इसी का नाम है। केसवानी की ताकत का राज है—उनके पास भू-संपत्ति है, लेकिन उन्हें 24 X 7 आधार पर सक्रिय रहना पड़ता है। आखिर कोई भी सफलता स्थायी नहीं होती।

❑

पवन जैन

"जब सड़क अधोसंरचना एवं सेवा प्रबंधन में सुधार लाए जाने की आवश्यकता है, तब पवन जैन जैसे उद्यमी अपने जुनून एवं जुगाड़ के बल पर अपनी स्वयं की प्रत्याशाओं से बढ़कर उपलब्धियाँ अर्जित करते हैं।"

जनून का अर्थ जोश एवं समर्पण है। जुगाड़ का अर्थ अवलोकन, प्रयोग एवं दिमाग—जिसे हम 10 प्रतिशत भी उपयोग नहीं करते—का उपयोग करते हुए सीखना है। पवन ने 43 वर्ष की उम्र में अपने 22 वर्षीय उद्यमीय तजुर्बे के साथ 1997 में 'सेफएक्सप्रेस' की शुरुआत की। उन्होंने ग्राहकों की खुशी सुनिश्चित करने के लिए 'सुरक्षा' और 'गति' जैसे दो मूल्यों को अपने जेहन में रखा। इसी से 'सेफएक्सप्रेस' का नाम भी चरितार्थ होता है। वर्षों के दौरान 'सप्लाई चैन' एवं 'लॉजिस्टिक्स उद्योग' व्यवसाय में यह ज्ञान नेतृत्व व मार्केट नेतृत्व भी बन चुका है। इस उद्योग की सफलता से अन्य उद्योगों की सफलता संभव होती है। किसी

भी शृंखला (भारतीय उद्योग की) की मजबूती उसकी सबसे कमजोर कड़ी की मजबूती पर टिकी होती है। और सौभाग्यवश सप्लाई चैन मैनेजमेंट (आपूर्ति शृंखला प्रबंधन) पवन और ऐसे ही अग्रगामी उद्यमियों के प्रयासों के कारण सबसे कमजोर कड़ी नहीं है। आज वह 5,000 से अधिक विविध क्षेत्रों, जैसे—फुटकर, हैल्थ केयर, एवं औषधिक, प्रकाशन, सूचना तकनीकी, टेलीकॉम, ऑटोमोटिव, इंजीनियरिंग, इलेक्ट्रॉनिक्स, इलेक्ट्रिकल और एफ.एम.सी.जी. को अपनी सेवाएँ दे रहे हैं। यह उपलब्धि उनके लगभग 3,500 जी.पी. (संभावित वाहनों एवं देश में लगभग 560 कार्यालयों का विशालतम नेटवर्क) के सर्वाधिक भारी बेड़े की मदद से हासिल हुई है।

ईंट, मसाला (सीमेंट), उपकरण इत्यादि महत्त्वपूर्ण हैं; किंतु जो ज्यादा महत्त्वपूर्ण है, वह है ग्राहकों (जिनकी संख्या 2,500 है) की संतुष्टि के लिए सेवा प्रबंधन। मैंने अपने 'आर. एंड डी.' में यह महसूस किया है कि जब तक 'सेफएक्सप्रेस' जैसे विशाल संगठन टीम भावना से कार्य नहीं करेंगे, तरक्की संभव नहीं है। और यहाँ टीम भावना से कार्य करने में एक ही व्यक्ति सबसे ऊपर है, वह है पवन जैन। आई.एस.ओ.-9002 प्रमाणन के साथ उनके वाहन 1,000 से ज्यादा गंतव्य रास्तों पर चलते हुए ग्राहकों को एक साल में 6 करोड़ पैकेजेज देते हैं। इस लक्ष्य की प्राप्ति 560 कार्यालयों तथा 98 हब एवं स्पोक मॉडल से होती है। इसकी सफलता में तकनीक की महत्त्वपूर्ण भूमिका होती है, जिसमें उन्होंने विशिष्टता हासिल कर ली है। इसे फास्टट्रैक के लिए 'बेस्ट इनहाउस मैगजीन अवार्ड' मिला है।

❑

प्रदीप कुमार गुप्ता

शारदा विश्वविद्यालय की स्थापना निजी विश्व-विद्यालय के रूप में विश्वविद्यालय अनुदान आयोग द्वारा अनुमोदित एवं उत्तर प्रदेश राज्य विधान अधिनियम 2009 के तहत नोएडा में हुई। इसका बहु-अनुशासित परिसर 63 एकड़ भू-भाग पर आकर्षक अधोसंरचना के साथ विस्तीर्ण है, जहाँ छात्रों का विविधतापूर्ण हेल-मेल एवं ऊर्जाशील वातावरण देखते ही बनता है। शारदा ग्रुप ऑफ इंस्टीट्यूशन उत्तरी भारत में 16 वर्षों से गुणवत्तापूर्ण शिक्षा प्रदान कर रहा है। इस ग्रुप की स्थापना सन् 1996 में हुई थी, जिसके उपरांत द्रुत गति से विस्तार करते हुए आगरा, मथुरा और ग्रेटर नोएडा में इसके परिसर बने, जिसका कुल क्षेत्रफल 167 एकड़ है, जिसके 35 लाख वर्ग फीट पर अधोसंरचना है। इसकी कुछ छात्र संख्या 20,000 है तथा व्यावसायिक शिक्षा पर आधारित 75 से अधिक पाठ्यक्रम हैं।

प्रदीप कुमार गुप्ता इसके कुलपति हैं। उनका जन्म सन् 1966 में एक व्यावसायिक परिवार में हुआ। उन्होंने आगरा विश्वविद्यालय से विज्ञान में स्नातक तक शिक्षा ग्रहण की। उद्यम के क्षेत्र में कदम रखते हुए उन्होंने 'इंस्ट्रूमेंट्स इंडिया' के नाम से वैज्ञानिक यंत्र एवं मशीनें बनाने का व्यवसाय शुरू किया। उन्होंने देश भर में धीरे-धीरे विभिन्न शैक्षणिक एवं अनुसंधान संस्थानों की आपूर्ति प्रारंभ की। उन्होंने बड़ी यात्राएँ कीं और अपनी यात्राओं के दौरान पाया कि अनेक उत्तरी भारतीय छात्र उत्कृष्ट शिक्षा एवं अधोसंरचनात्मक सुविधाओं के कारण अध्ययन

के लिए दक्षिण भारत जा रहे हैं।

वे एक ऐसे उद्यमी हैं, जिन्होंने उत्तरी भारत में शिक्षा के क्षेत्र में अवसर तलाशा। वर्ष 1995 में उन्होंने शारदा एजुकेशन ट्रस्ट की स्थापना की और 1996 में आगरा में हिंदुस्तान इंस्टीट्यूट ऑफ साइंस एंड टेक्नोलॉजी नामक इंजीनियरिंग कॉलेज शुरू किया। सन् 1997 में हिंदुस्तान कॉलेज फॉर मैनेजमेंट एंड कंप्यूटर साइंस की स्थापना की तो 1999 में उन्होंने आगरा में दो और महाविद्यालयों की स्थापना की। उन्होंने जब यह अवलोकन किया कि उनके शैक्षणिक संस्थानों में लड़कियों की संख्या काफी कम है तो उन्होंने अपना ध्यान महिला शिक्षा की ओर केंद्रित किया। उन्होंने योग्य छात्राओं को छात्रवृत्ति देना प्रारंभ किया। फार्मेसी, फैकल्टी डेवलपमेंट, डेंटल, बिजनेस, स्कूल, 500 बिस्तरोंवाला मल्टी स्पेशिएल्टी हॉस्पिटल एवं अन्य अनेक व्यवसायों के साथ उन्होंने अपना विविधतापूर्ण व्यावसायिक विस्तार किया। उनकी प्रेरणा एवं उद्यमीय प्रयासों की सही पहचान तब हुई, जब उत्तर प्रदेश सरकार ने उन्हें परोपकार एवं मूल्यों पर आधारित शिक्षा के लिए 'उद्योग रत्न' एवं 'यू.पी. रत्न' पुरस्कारों से सम्मानित किया। उन्होंने इस सिद्धांत का अनुसरण किया, ''स्वयं तुम पर पड़नेवाली सूर्य की किरण को तुम्हारा नेतृत्व करना चाहिए, इसलिए किसी ओर की परछाईं पर खड़े मत हो।'' जी हाँ, प्रदीप ने अपनी बात के आधार पर ही अपनी राह तय की है।

❑

प्रेम गणपति

"एक आम भारतीय को मैकडोनॉल्ड से प्रेरणा मिली और उससे उन्हें भारी कामयाबी हासिल हुई।"

आज द्यमिता के क्षेत्र में भारत में चमत्कार हो रहे हैं। मैं प्रतिदिन अपनी अनुसंधान मेज पर भारत की धरती पर रची जा रही अविश्वसनीय किंतु काफी प्रेरणास्पद सफलता की कहानियाँ पा रहा हूँ।

तमिलनाडु के एक किसान परिवार में जनमे प्रेम गणपति ने मात्र कम्युनिटी स्कूल से दसवीं तक शिक्षा प्राप्त की है। पहले वह चेन्नई पहुँचे फिर जहाँ दूर के रिश्ते के एक भाई की मदद से उन्हें एक छोटा सा काम मिल गया। फिर वहाँ से वह मुंबई आ गए और बरतन साफ करने का कार्य करने लगे। मेरे और प्रेम के बीच बरतन साफ करने के इस कार्य को लेकर कुछ समानता है, क्योंकि मिनिसोटा विश्वविद्यालय में एम.बी.ए. करने के दौरान मैं भी यही काम किया करता था। लेकिन प्रेम बिना एम.बी.ए. के यह कार्य करके सफलता की लगातार ऊँचाइयाँ हासिल करते हैं। आज वह करोड़ों भारतीयों के लिए आशा की किरण बन चुके हैं।

ऐसा इसलिए कि वह भोजन व्यवसाय के क्षेत्र में पीछे रहकर कार्य करना पसंद करते थे। वह एक के बाद दूसरा काम बदलते रहे और अंततः उन्हें कार्यालयों

के अंदर व बाहर लोगों को ऑर्डर पर चाय परोसने का कार्य मिल गया। उनकी रातोरात सफलता का श्रेय उद्यम के जोश का उफान, उनकी प्रसन्नचित्तता एवं विनम्र स्वभाव को जाता है।

उन्होंने स्वतंत्र रूप से सड़क के किनारे चाय की एक दुकान शुरू की। उसके पश्चात् दक्षिण भारतीय व्यंजनों का एक स्टॉल खोला। उन्होंने गुणवत्ता देने, लागत कम करने और मुसकराहट के साथ सर्विस देने के तरीकों को सीखा। तत्पश्चात् 50,000 रुपए की लागत से 'प्रेम गणपति प्रेम सागर दोसा प्लाजा' की शुरुआत की। अब तक उन्हें दोसा में अपनी क्षमता का अहसास हो चुका था। उन्होंने एक चाइनीज डिशेज का स्टॉल प्रारंभ किया, जो नहीं चल सका। किंतु उन्हें चाइनीज भोजन की जानकारी हो चुकी थी, जिसे उन्होंने दोसा के साथ मिलाकर इंडियन जुगाड़ पान तैयार किया। यह बहुत सफल रहा। मैकडोनॉल्ड्स उनका प्रेरणास्रोत रहा और उसी की तर्ज पर वह आगे बढ़कर अपने ब्रांड व उत्पादों के साथ आगे बढ़ते रहे।

अपने प्रदर्शन अनुभव एवं अवलोकन के कारण उन्हें ब्रांडिंग एवं मार्केटिंग में विश्वास हुआ। भारत भर में वह 35 दोसा प्लाजा स्टॉलों के मालिक हैं। न्यूजीलैंड में भी उनकी एक फ्रैंचाइजी है। उन्होंने आर.एंड डी. के साथ मिलकर 10 प्रकार के दोसा तैयार किए हैं। उसने फ्रैंचाइजी के रास्ते को भी अपनाया है, जो उनके मामले में काफी सफल रहा है।

❑

बाबा रामदेव

> “बाबा रामदेव का स्कॉटिश आइलैंड (टापू) में 20 लाख मिलियन डॉलर राशि के वेलने रिट्रीट भारतीय उद्यमिता का सातवाँ आश्चर्य है।”

टाटा जैसी हैसियत के लोगों की तरह बाबा रामदेव ने 20 लाख डॉलर के खर्च से वेलनेस ट्रस्ट स्थापित करने के लिए स्कॉटिश आइलैंड का अधिग्रहण किया है। यह योजना उनकी विदेश परियोजना के अंतर्गत है, जहाँ शरीर व मन की शुद्धि पर आधारित उनके योग की शिक्षा लोकप्रियता हासिल कर रही है। भारतीय मूल के स्कॉटिश दंपत्ति साम और सुनीता पोद्दार इसे अपने गुरु की सेवा का उत्कृष्ट अवसर मानते हैं।

दिसंबर 2003 में ‘आस्था’ चैनल पर उपस्थिति दर्ज कराने के पश्चात् उन्हें त्वरित सफलता हासिल हुई। 7 वर्ष के संक्षिप्त काल में उन्होंने स्वयं का बाजार स्थापित कर लिया। प्रतिदिन अपने 2 करोड़ श्रोताओं के साथ वह भारत के प्रथम आध्यात्मिक टेलीस्टार हैं। वह भारत व विदेशों में भी करोड़ों लोगों का भला कर रहे हैं। उनके अनुयायी वजन घटाने, विभिन्न बीमारियों से छुटकारा पाने का लाभ

प्राप्त कर स्वयं का ज्यादा-से-ज्यादा भला कर रहे हैं। वह विभिन्न रोगों के लिए परहेजी व स्वास्थ्य-लाभकारी युक्ति के रूप में योग का प्रचार कर रहे हैं। वह कथा-कहानियों की बातें कम करते हैं। उनका प्रयास अच्छे स्वास्थ्य और भलाई की दिशा में व्यावहारिक पहलुओं पर केंद्रित है। इनमें से ज्यादातर की इच्छा निर्वाण की अपेक्षा अच्छे स्वास्थ्य व ताजगी के लिए अधिक है। योग उद्यमी के रूप में, उन्होंने अपने साथियों व शुभचिंतकों की मदद से हरिद्वार से 13 कि.मी. दूर 100 करोड़ रुपए लागत की परियोजना की स्थापना कर समाज-हित में अपने सपने को सच किया है। एक ही समय में 5,000 लोगों की आश्रय क्षमतावाला यह दुनिया का सबसे बड़ा योग व आयुर्वैदिक केंद्र है।

बाबा रामदेव का जन्म सन् 1965 में हुआ। सन्यास लेने के पूर्व उनका नाम रामकृष्ण यादव था। संसार से गरीबी हटाने की दिशा में उनकी अहम भूमिका के लिए संयुक्त राष्ट्र द्वारा आमंत्रित किए जानेवाले वे प्रथम योग गुरु हैं।

उन्होंने आई.आई.एम.ए. में आधुनिक प्रबंधन की तकनीक में भारतीय मूल्यों की प्रासंगिकता की चर्चा की। मेगा फूड पार्क से लेकर दुनिया की सर्वाधिक बड़ी जूस फैक्टरी तक उन्होंने व्यवसायों की एक श्रृंखला व शुरु की। मेरी नजर में गुरु हो तो ऐसा हो, जो रोजगार में वृद्धि व गरीबी में कमी ला सके। मैंने उन्हें 'आप की अदालत' टी.वी. कार्यक्रम में रजत शर्मा के प्रश्नों का उत्तर देते हुए देखा है, जिसमें मैंने व्यक्तिगत तौर पर 10 में से 10 अंक देकर उन्हें दुर्लभतम भारतीय की पदवी दी है।

❑

Welspun Global Brands Ltd.

बालकृष्ण गोयनका

"यदि आप ग्राहकों की समस्याओं का हल निकालने में उनके सहभागी बनते हैं, तो व्यवसाय स्वयं ही बढ़ता चला जाएगा।"

वेलस्पन ग्रुप के बालकृष्ण गोयनका को *'इकोनॉमिक टाइम्स'* द्वारा प्रदत्त कॉरपोरेट एक्सीलेंस अवार्ड्स 2008 का 'इमर्जिंग कंपनी ऑफ दि ईयर' के पुरस्कार से सम्मानित किया गया। अभी वह मात्र 43 वर्ष के हैं और 18 वर्ष की उम्र में उन्होंने हिसार, हरियाणा में अपनी उद्यमीय यात्रा की शुरुआत की। ओम प्रकाश जिंदल भी इसी शहर की उपज थे, जिन्होंने बाल्टी बनाने से उद्यमिता में प्रवेश किया। मीडिया महारथी जी.टी.वी. के सुभाष चंद्र गोयल भी इसी स्थान के थे।

अपनी मैनचेस्टर (ब्रिटेन) यात्रा के दौरान प्रेरणा पाकर उन्होंने सन् 1985 में 89 लाख रुपए की पूँजी से वस्त्र उद्योग में कदम रखा। आज इसका वार्षिक टर्नओवर 9,900 करोड़ रुपए है। व्यवसाय उनके खून में ही है, क्योंकि उनके परिवार में अनाज का व्यवसाय होता था, किंतु अंतरराष्ट्रीय वातावरण से उनका दृष्टिकोण ही परिवर्तित हो गया। वह टॉवेल के सबसे बड़े निर्यातक हैं और शुरुआत

में ही उन्होंने 100 करोड़ रुपए मूल्य के टॉवेल वॉल-मार्ट को निर्यात किए। उन्हें यूरोप में टॉवेल का अच्छा बाजार मिला। वापी (गुजरात) में उनके ग्रुप का पहला टॉवेल संयंत्र स्थापित हुआ। चूँकि सफलता से और बड़ी सफलता व विश्वास जन्म लेता है, अत: उन्होंने पाइप निर्माण में कदम रखा और आज वह दुनिया के दूसरे पाइप उत्पादक हैं। वह समुद्र की गहनतम परियोजनाओं के लिए सामग्री आपूर्तिकर्ता होने के साथ-साथ टेक्सास गैस, बी.पी. एक्सान एवं कई अनेक बड़ी कंपनियों को आपूर्ति करते हैं। उन्होंने अपना विस्तार अधोसंरचना विकास, जी.डी. गोयनका पर्यटन कॉर्पोरेशन और जी.डी. गोयनका पब्लिक स्कूल्स की शुरुआत करके किया।

अब एक बड़ा प्रश्न सामने आता है कि वह कॉरपोरेट सामाजिक दायित्व (सी.एस.आर.) के लिए क्या कर रहे हैं? वेलस्पन सी.एस.आर. को अपने अस्तित्व का स्वयमेव भाग मानता है। इसमें योग, पोषण, मन व शरीर का विकास चिकित्सा शिविर, अपने 20,000 कर्मचारियों एवं आम जनता के लिए शिक्षा सम्मिलित हैं। उनके पिता उनके आदर्श हैं, जिन्होंने उन्हें अपनी इच्छानुसार कार्य करने को प्रोत्साहित किया। इससे बालकृष्ण गोयनका की आपके प्रति विनम्रता प्रकट होती है।

❑

बी.पी. अग्रवाल

"जब अच्छे उद्यमी उद्यमिता की सच्ची भावना का प्रदर्शन करते हैं, तो उनके विकास की पर्याप्त सँभावनाएँ होती हैं।"

4 मार्च, 2009 के अंक में 'इकोनॉमिक टाइम्स' द्वारा सूर्या एग्रो फूड्स के बी.पी. अग्रवाल के बारे में व्यावसायिक तौर पर एक लेख प्रकाशित किया गया। यह एक ऐसी उद्यमीय कहानी है, जो पेशेवरों एवं उद्यमियों दोनों को प्रेरणा देती है। पेशेवरों को? क्योंकि 60 वर्ष की उम्र में कुछ पेशेवर सेवानिवृत्त हो जाते हैं। जो चतुर होते हैं, वे जोखिम उठाने का निर्णय लेते हैं और जो ज्यादा बुद्धिमान होते हैं, वे सुरक्षित वातावरण की शर्त पूरी होने पर ही यह निर्णय लेते हैं।

बी.पी. अग्रवाल सन् 1991 में कोलकाता से नोएडा आ गए। उनका परिवार नारियल तेल बनाने के व्यवसाय में लगा था। 1994 में 1.5 करोड़ रुपए का निवेश करके उन्होंने बिस्कुट तैयार करने तथा विक्रय का व्यवसाय प्रारंभ किया। 15 वर्षों में ही उन्होंने अपने *'प्रियागोल्ड'* ब्रांड को ब्रिटानिया, पारले एवं आई.टी.वी. जैसे ब्रांडों के साथ प्रतियोगिता की दौड़ में ला दिया। आज 400 करोड़ रुपए के टर्नओवर में 'प्रियागोल्ड' की 90 प्रतिशत भूमिका है। दिल्ली, उत्तर प्रदेश, हरियाणा, पंजाब,

राजस्थान और पश्चिमी भारत इसकी कर्मभूमि है । इसकी भविष्य की योजनाओं में दक्षिण भारत में भी व्यावसायिक विस्तार सम्मिलित है। उनकी व्यूह रचना साधारण है—स्वाद और वहनीयता पर केंद्रीकरण, आम लोगों का ब्रांड। अब उनके बेटे शेखर अग्रवाल भी सक्रिय होकर विज्ञापन के माध्यम से ग्राहकों की संख्या में विस्तार कर रहे हैं। वह ब्रांड निर्माण की दिशा में भारी निवेश कर रहे हैं। उन्होंने मार्केट अंशधारिता का 12 प्रतिशत भाग हासिल कर लिया है।

अंतरराष्ट्रीय ब्रांड और नए ब्रांडों से पिता-पुत्र की टीम को कोई परेशानी नहीं होती। जीवन के प्रति अपने सकारात्मक दृष्टिकोण के कारण वे सही अर्थों में उद्यमी हैं। कैसे? वे विश्वस्त हैं कि बिस्कुट की माँग के 15 प्रतिशत वार्षिक दर से बढ़ने के कारण उद्योग में पर्याप्त संभावनाएँ हैं। इसके अलावा अमेरिका में बिस्कुट की प्रति व्यक्ति खपत 10 कि.ग्रा. है, जबकि भारत में यह अभी भी 1.8 कि.ग्रा. ही है।

बी.पी. अग्रवाल इंडियन बिस्किट्स मैनुफैक्चरर्स एसोसिएशन, जो कि लघु एवं मध्यम वर्गीय उत्पादकों का प्रतिनिधित्व करता है, के अध्यक्ष हैं। इसका उद्देश्य अपने सदस्यों हेतु व्यवसाय का अपेक्षाकृत अधिक उपयुक्त वातावरण प्रदान करना है। उन्होंने बॉलीवुड स्टार करिश्मा कपूर को 'प्रिया गोल्ड' बिस्किट्स का ब्रांड एंबेसडर बनाकर विपणन पर अपना ध्यान केंद्रित किया है। इस ब्रांड को ई.टी. के 'ब्रांड इक्विटी अवार्ड' से पुरस्कृत किया गया है। वहीं उन्हें लंदन में 'इंटरनेशनल क्वालिटी क्राउन अवार्ड' से सम्मानित किया गया है।

❑

Dr Lal PathLabs

India's leading and most reputed diagnostic chain

ब्रिगेडियर डॉ. अरविंद लाल

"एक ऐसे नाम पर विश्वास करने के लिए आपका धन्यवाद, जिस पर आपके पिता व दादा ने यकीन किया।"

सन् 1949 में विभाजन के पश्चात् स्वर्गीय डॉ. (मेजर) एस.के. लाल, जो शिकागो (यू.एस.ए.) के कुक काउंटी हॉस्पिटल से प्रशिक्षित थे, ने एक विशिष्ट प्रवर्तन एवं क्लीनिकल लेबोरेटरी के रूप में पैथ लैब की स्थापना की। सन् 1977 में उनके बेटे ब्रिगेडियर डॉ. अरविंद लाल ने पैथ लैब का कार्यभार अपने हाथों में लेकर उसमें अंतरराष्ट्रीय स्तर की सर्वोत्तम प्रैक्टिस को शामिल किया। परिणामस्वरूप यह देश का विश्व स्तरीय डायग्नोस्टिक सर्विसेज सेंटर बन गया।

चिकित्सीय व्यवसाय में लगभग 6 दशकों तक सेवारत रहकर इसे व्यावसायिक विश्वास हासिल हुआ है। आज देश भर में इसके 60 लैब एवं 1,000 सेंटर हैं, जो वर्ष में लगभग 40 लाख लोगों की सेवा करते हैं। अपनी कठोर गुणवत्ता मानकों के प्रति प्रतिबद्धता के कारण ही इसे प्रतिष्ठित प्रत्यायन हासिल हुए हैं, जिसमें सम्मिलित हैं—कॉलेज ऑफ अमेरिकन पैथोलॉजिस्ट (सी.ए.पी.) यू.एस.ए., सेंट्रल टेस्टिंग लेबोरेटरी इंप्रूवमेंट अमेंडमेंट्स (सी.एल.आई.ए.) यू.एस.ए., आई.एस.ओ. 9001-

2000 प्रमाणीकरण एवं नेशनल एक्रेडिटेशन बोर्ड फॉर टेस्टिंग एंड कैलिब्रेशन लेबोरेटरीज (एन.ए.बी.एल.)। इसके आर. एंड बी. डिवीजन को भारत सरकार के डिपार्टमेंट ऑफ साइंस एंड टेक्नोलॉजी से मान्यता प्राप्त है।

इन सभी बातों से मुझे आश्चर्य होता है और मैं सोचता हूँ कि भला कैसे कुछ व्यवसाय लगातार बढ़ते ही जाते हैं। क्या ऐसा इसके प्रबंधन की वजह से है या इसकी तकनीक की वजह से या वे कौन से घटक हैं, जिससे एक पैथोलॉजी लेबोरेटरी बढ़ती ही जाती है, जबकि उसी तरह की दूसरी अन्य लैब्स या तो विलुप्त हो जाती हैं या उसी जगह यथावत् रहती हैं, जहाँ से वे शुरू हुई थीं।

क्या इनके संस्थापक तकनीकी कौशल या प्रबंधकीय गुणों में उतने अच्छे नहीं थे? या सही लोगों को अपनी ओर नहीं खींच पाए या आवश्यक विश्वास हासिल नहीं कर पाए? क्या वे स्वयं के लिए ब्रांड नाम बना पाने में असफल थे? यदि आप उद्यम में कदम रखने जा रहे हैं या वर्तमान में उद्यमी हैं तो जरा इस बात का अवलोकन कीजिए, जिससे डॉक्टर लाल पैथ लैब इतना विश्वसनीय ब्रांड नाम बन गया है। किस तरह वे ऐसे प्रतिभाशील लोगों को आकर्षित करते हैं तथा साथ जोड़े रखते हैं, जो दिन-प्रतिदिन ऐसी विश्वसनीय जाँच प्रदान करते हैं, जिसमें सर्वोत्तम अस्पतालों (स्पेशियल्टी अस्पताल भी) के मरीजों की जिंदगियाँ जुड़ी होती हैं। आप शिक्षित, प्रेरित एवं प्रोत्साहित होने के लिए अपना स्वयं का अनुसंधान कीजिए। याद रखिए, किसी भी व्यवसाय को सफल कहे जाने के लिए यह जरूरी है कि वह पीढ़ी-दर-पीढ़ी चलता रहे।

❑

भवर लाल जैन
शिक्षा-ज्ञान एवं बुद्धिमत्ता

बिलकुल ठीक ही कहा है कि हम सूचना एकत्रित करने की हड़बड़ी में ज्ञान खो बैठते हैं और ज्ञान का ढेर लगाने के प्रयास में बुद्धिमत्ता का प्रकाश खो बैठते हैं। प्रत्येक मेहनतकश छात्र को चाहिए कि वह अपने कर्मों से सूचना को ज्ञान और ज्ञान को बुद्धिमत्ता में परिवर्तित करे। मैंने कॉमर्स में स्नातक की डिग्री ली है। आइए, लेखा कर्म के प्रथम तीन स्वर्ण नियमों पर गौर करें—"विकलन अर्थात् जो कुछ आए समाकलन अर्थात् जो कुछ चला जाए। इसके ऊपरी तौर पर यह अतार्किक-सा लगता है कि जो कुछ आए, वह विकलन क्यों? और जो कुछ चला जाए , वह समाकलन क्यों? क्या इसे किसी और तरीके से नहीं होना चाहिए?"

इसके ऊपरी बेतुकेपन का कारण हमारी रोजमर्रा की बातचीत में इन शब्दों के अर्थ में उलझन के कारण है। विकलन और समाकलन में संतुलन लाना हमारी दोहरी प्रविष्टि प्रणाली का सबसे महत्त्वपूर्ण भाग है। कोई भी योग्य व्यवसायी अपनी परिसंपत्तियों एवं दायित्वों, अति व्यापार एवं न्यून व्यापार तथा उत्पादन व विपणन का हमेशा संतुलन स्थापित करता है। मुझे यह ज्ञान व्यवसाय करते हुए बड़ी कठिनाई से हुआ। क्या इस ज्ञान से परे भी कुछ है? यदि हाँ, तो वह बुद्धिमत्ता का क्षेत्र है। मैंने वर्षों के दरम्यान देने और लेने में निहित सामंजस्य को महसूस किया है। जो कुछ भी मुझे प्राप्त होता है, उसके लिए मैं अंतहीन रूप से अनुग्रहित या ऋणी महसूस करता हूँ। इसे समाज को वापस लौटाकर मुझे एक संतुलन

स्थापित करने की आवश्यकता महसूस होती है।

लगभग 40 करोड़ रुपए की लागत से संचालित विद्यालय 'अनुभूति' एवं लगभग 20 करोड़ की लागत से संचालित गांधी अनुसंधान केंद्र जैसी मेरी परियोजनाओं के मर्म में यही धारणा है। जो भी अपने साथ के लोगों से ऐसा तादात्म्य रखता है, उसे यह बुद्धि-कौशल प्राप्त होता है और इसी के साथ समता एवं संतुलन भी निर्मित होता है।

इसी संदर्भ में मैं अपनी कानून की पढ़ाई का भी संबंध दरशा सकता हूँ। व्यवहार प्रक्रिया संहिता और दंड प्रक्रिया संहिता किंतु कानून का वास्तविक ज्ञान आपको तब होता है, जब आप तीन महत्त्वपूर्ण पहलुओं की गहराई में जाते हैं। सामाजिक व ऐतिहासिक संदर्भ, जिनमें विधान द्वारा इनका निर्माण हुआ, पुलिस द्वारा इसके निष्पादन में हुई कमियाँ। अति एवं न्यायालय द्वारा इनकी व्याख्या। कानूनी बुद्धि-कौशल शब्दों के स्तर की अपेक्षा भावना के स्तर पर कार्य करता है। कानून की भिन्न-भिन्न तरीके से व्याख्या किए जाने के लिए तादात्म्य की आवश्यकता होती है। इसमें साहस की आवश्यकता भी होती है। गांधीजी एक नई साक्ष्य विधि की रचना कर रहे थे।

❑

VASHI ELECTRICALS PVT. LTD.
Largest Channel Partner for World-class Industrial Products

मदन डोडेजा

"यदि आप सपना देखते हैं, जो आप इसे साकार भी कर सकते हैं—20 से 30 सालों में।"

वर्ष 1970 से 1978 तक मदन फिनोलेक्स में 165 रुपए प्रतिमाह के वेतन पर एक कर्मचारी थे। उन्होंने काम करते और अवलोकन करते हुए एवं लोगों के साथ घुलते-मिलते हुए काफी कुछ सीखा। उन्हें वर्षों के दौरान एक व्यवसायी के रूप में अपना सी.जी.आर. अर्थात् कैरेक्टर (चरित्र), गुडविल (ख्याति) और रेपुटेशन (प्रतिष्ठा) को विकसित करना आता था। एक ऐसे व्यवसायी के रूप में, जिसकी जबान पर यकीन किया जा सके। उन्हें इस बात की समझ थी कि लोग ऐसे लोगों के साथ व्यवसाय करना चाहते हैं, जिसे वे पसंद करें। और इस बात को उन्होंने कार्यान्वित भी किया। प्रबंधन के इसी दर्शन के साथ उन्होंने सियामींस, फिनोलेक्स, बोनकिगलिओली, कैस्ट्रॉल, पॉलीकैब, लिगार्ड, हिंदुस्तान इत्यादि बड़े कॉरपोरेशनों के साथ व्यावसायिक संबंध प्रगाढ़ किए।

उन्होंने इस बात की कल्पना की कि उनकी कंपनी के कार्यकारियों को उनकी उतनी ही आवश्यकता है जितनी उन्हें (मदन) उनकी (कार्यकारियों की) है। और वर्षों के अनुभवों से उन्हें 'दो और लो और दो' की धारणा समझ में आई। जब तक प्रत्येक सौदा लाभकारी न हो तथा प्रत्येक अंशधारी को फायदा न हो, तब तक

व्यवसाय मात्र पुनरावृत्ति के आधार पर चल रहा होता है। बिना एम.बी.ए. एवं आई.आई.टी. किए हुए (धीरूभाई अंबानी की तरह) एक छोटा व्यापारी भी भविष्यद्रष्टा हो सकता है और कोई भी अपनी ऊँचाइयों तक धीरे-धीरे स्थिरतापूर्वक पहुँच सकता है। वह अपनी व अपनी छोटी सी दुनिया की नजर में हीरो बन सकता है। आज अपने 70 प्रतिशत प्रयास और अपने भाई मोहन एवं दूसरी पीढ़ी के सूरज के प्रयासों की बदौलत वे 350 करोड़ रुपए सालाना के विक्रय स्तर तक पहुँच चुके हैं। शेष 30 प्रतिशत भाग्य है, जिस पर किसी का कोई नियंत्रण नहीं है। उनकी उद्यमिता की कहानी से ऐसे कर्मचारियों एवं व्यापारियों को प्रेरणा मिल सकती है, जो वर्षों तक उसे व्यवसाय करते हुए देख सकते हैं। जीवन अपने आप में एक सीख देनेवाला विद्यालय है और इस विद्यालय से उन्होंने जो कुछ भी सीखा, उसका उसने अपने विद्युत् उपकरण खरीदनेवाले अपने ग्राहकों की सेवा में किया। उनके ग्राहकों में रिलायंस, इस्पात, गोदरेज, ग्रासिम, एल. एंड टी. जैसी कुछ और कंपनियाँ शामिल हैं।

मुझे एक भारतीय होने के नाते इस बात की खुशी होती है कि वर्ष 1970 में 165 रुपए प्रतिमाह वेतन पानेवाले एक अदने से कर्मचारी ने वर्ष 2008-09 में 325 करोड़ रुपए विक्रय टर्नओवर की उपलब्धि हासिल की। उन्होंने भिवंडी में 2 एकड़ भूमि पर एक विशाल गोदाम तैयार किया है। और अगले दशकों में उनका ऐसा ही दूसरा गोदाम बनाने की योजना है। प्रतियोगिता में आगे बने रहने के लिए और अपने भागीदारों को बेहतर प्रतिनिधित्व एवं ग्राहकों को ज्यादा सेवा प्रदान करने के लिए उन्होंने SAPERP प्रणाली की स्थापना की है। मेरा विश्वास है कि जो भी जोखिम वहन करने की इच्छा रखते हैं, वे ज्यादा मुस्तैदी से और अपेक्षाकृत कठोर काम ('5 से 9' बनाम '9 से 5', 24 x 7) करने की इच्छा रखते हैं, वे 20 से 30 वर्षों में मदन और मोहन डोडेजा बन सकते हैं।

❑

मनोहर लाल अग्रवाल

"भारतीय मारवाड़ी, अग्रवाल उद्यमियों ने साधारण-सी भुजिया को पाँचवीं पीढ़ी में फलते-फूलते व्यवसाय के रूप में रखकर उद्यमिता की मिसाल पेश की है।"

सन् 1937 में हल्दीराम की उद्यमीय कहानी की शुरुआत बीकानेर में हुई, जब गंगा भूषण अग्रवाल ने सबसे पहले अपने दादाजी द्वारा तैयार की गई भुजिया की दुकान खोली। यह कार्य 500 रुपए की प्रारंभिक लागत से शुरू किया गया था, जो आज 1,000 करोड़ रुपए से अधिक का ब्रांड बन चुका है। हल्दीराम की भुजिया को उनके उत्तराधिकारियों द्वारा बहुत ही लोकप्रिय बनाया गया है। साथ ही मारवाड़ी उद्यमिता और दूरदृष्टि की वजह से यह व्यवसाय देश के दूसरे हिस्सों तक विस्तारित हुआ है। सबसे पहले इसे 'हल्दीराम भुजियावाला' के नाम से कलकत्ता के बुर्रा बाजार क्षेत्र में स्थापित किया गया। हल्दीराम ब्रांड नाम का प्रयोग करनेवाले तीन अलग-अलग व्यवसाय हैं। कारण! क्योंकि हल्दीराम जैसा ब्रांड नाम बनाने के लिए पब्लिसिटी पर करोड़ों रुपए की लागत की जरूरत पड़ेगी। इतनी बड़ी सफलता आखिर कैसे संभव हुई? आखिर भुजिया तो भुजिया ही है। हल्दीराम की गुणवत्ता उच्च स्तरीय है और यही वजह है

कि यह 75 साल के बाद भी अनवरत जारी है। सन् 1952 में कलकत्ता के पश्चात् परिवार के कुछ सदस्य दिल्ली और नागपुर चले गए। नागपुर शाखा के चेयरमैन के उत्पादों की संख्या 100 से अधिक है और टर्नओवर 350 करोड़ रुपए का है।

सन् 1982 में मनोहर लाल अग्रवाल ने दिल्ली के मथुरा रोड पर पहली हल्दीराम शॉप स्थापित की। उत्पादों की मौखिक तारीफ से यह व्यवसाय अगले दशक तक कई गुना बढ़ गया। आज इसे फूड कंपनी के नाम से जाना जाता है, जो स्वाद, स्वास्थ्य और प्रवर्तन का पर्याय है। 33 वर्षों तक एस्कॉर्ट के साथ होने के कारण हल्दीराम के साथ मेरा पहला अनुभव तब हुआ जब हमने उन्हें दीपावली की मिठाई के 1,000 डिब्बों का ऑर्डर दिया और मुझे डिलीवरी दिनांक के पूर्व ही अग्रिम भुगतान का चेक भेजने को कहा गया। क्यों? ऐसा दीपावली की मिठाइयों की गुणवत्ता की गारंटी से ख्याति अर्जित करने के लिए था, न कि बदनामी। आज हल्दीराम की नमकीनों का आदान-प्रदान करने का चलन साल भर चलता है। हल्दीराम भारतीयों को प्रोत्साहित करने की एक उद्यमीय कहानी है, जो यह बताती है कि अच्छे प्रबंधन से 20 से 30 वर्षों के दौरान किसी भी उत्पाद को सफलता हासिल होती है।

❑

मल्लिका श्रीनिवासन

"अपनी शक्तियों को समझें और वही करें, जिसे आप बेहतर ढंग से कर सकते हैं।"

मल्लिका श्रीनिवासन एक प्रसिद्ध उद्यमी हैं। उन्होंने आज की पुरुषोचित्त बिजनेस की दुनिया में सबसे अलग हटकर अपनी पहचान बनाई है। जब 1986 में उन्होंने टेफे (ट्रैक्टर्स एंड कंपनी इक्विपमेंट) कंपनी ज्वॉइन की थी तो उस समय उसका टर्नओवर 85 करोड़ रुपए था, लेकिन आज टेफे व उससे जुड़ी कंपनियों का टर्नओवर बढ़कर लगभग 2,900 करोड़ रुपए हो गया है।

दृढ़ इच्छाशक्ति से युक्त मल्लिका श्रीनिवासन का जन्म 19 नवंबर, 1959 को हुआ था। मद्रास यूनिवर्सिटी से इलेक्ट्रॉनिक्स में एम.ए. करने के बाद उन्होंने पेनसिल्वेनिया यूनिवर्सिटी के व्हार्टन स्कूल से एम.बी.ए. किया। इसके बाद उन्होंने 1986 में टेफे कंपनी को ज्वॉइन किया और तभी से वे कंपनी को प्रगतिशील बनाने में अपना महत्त्वपूर्ण योगदान दे रही हैं।

उन्होंने अपनी सूझ-बूझ एवं कारोबारी रणनीति से यह पता लगाया कि किसानों को किस प्रकार के ट्रैक्टर की आवश्यकता है और फिर किसानों को आवश्यकतानुसार ही उन्होंने नए डिजाइन, मॉडल एवं वाजिब दाम पर ट्रैक्टर उपलब्ध कराए।

टेफे कंपनी ने समय–समय पर अनेक उतार–चढ़ाव देखे, लेकिन प्रतिभा एवं साहस की धनी इस महिला ने कभी हार नहीं मानी और प्रगति के पथ पर बढ़ती रही। यह उनके ही अथक प्रयासों का परिणाम है कि आज टेफे कंपनी इंजीनियरिंग प्लास्टिक्स, पैनल इंस्ट्रूमेंट्स, ऑटोमोटिव बैटरीज, गेयर्स आदि उद्यमों में भी प्रवेश कर चुकी है। इसके अलावा कंपनी का मैसी फर्गुसन के साथ भी लंबा करार है, जो अब एगको का हिस्सा है। यह सब अंतर्मुखी मल्लिका की दूरदर्शिता का परिणाम है।

सन् 2006 में जब मल्लिका श्रीनिवासन को 'इकोनॉमिक्स टाइम्स बिजनेस वूमैन ईयर अवार्ड' दिया गया तो ऑटोमोबाइल के क्षेत्र में अपनी विशिष्ट पहचान बना चुके उनके पति वेणु श्रीनिवासन ने बड़े गर्व से कहा था कि मुझे गर्व है कि मल्लिका को यह अवार्ड मिला। यह किसी के भी कॅरिअर में मील के पत्थर से कम नहीं है।

मल्लिका का मानना है कि बिजनेस शिक्षित एवं स्वस्थ लोगों के सामाजिक संदर्भ में ही बेहतरीन ढंग से संचालित हो सकता है। वे व्यापार में मानवीय मूल्यों को समाहित करने में विश्वास रखती हैं। वे हमेशा से ही महिला शक्ति की पक्षधर रही हैं। वे कहती हैं कि महिलाएँ जो भूमिकाएँ बच्चों को शिक्षित करने में निभाती हैं, उसे कमतर करके नहीं आँकना चाहिए।

मल्लिका वह महिला हैं, जिन्होंने ट्रैक्टर मैन्युफैक्चरर्स एसोसिएशन एवं मद्रास मैनेजमेंट एसोसिएशन जैसे निकायों का प्रेसीडेंट पद सँभाला है। इसके अलावा वे मद्रास चैंबर ऑफ कॉमर्स ऐंड इंडस्ट्री की प्रेसीडेंट का पद ग्रहण करनेवाली पहली महिला हैं। वे हैदराबाद के इंडियन स्कूल ऑफ बिजनेस के गवर्निंग बोर्ड की सदस्या भी हैं। इस प्रकार अनेक जिम्मेदारियों का सफलतापूर्वक निर्वाह करनेवाली मल्लिका महिलाओं के लिए किसी प्रेरणा से कम नहीं हैं।

❑

महेश गुप्ता

"एक गैरेज से 200 करोड़ वाले ब्रांड तक की सफल यात्रा, ड्रीम गर्ल हेमामालिनी के साथ।"

मेरे नजरिए से निजी एवं सार्वजनिक क्षेत्र कंपनियों में काम करनेवाले पेशेवरों के लिए महेश एक बड़े प्रेरणा स्रोत हैं। आज हमारे देश में अनेक अवसर हैं, जिनका लाभ पेशेवर तबका लेने की सोच सकता है और आगे बढ़ सकता है। बशर्ते उनमें जरूरी दमखम और 3 से 5 साल तक टिककर लगे रहने की क्षमता हो।

महेश सन् 1975 में आई.आई.टी., कानपुर से स्नातक हुए और इंडियन ऑयल कंपनी में तेल की जाँच का कार्य किया, ताकि उद्योग प्रभावपूर्वक और कुशलतापूर्वक कार्य करते रहें। 1980 के दशक में उन्होंने दिल्ली के साउथ एक्सटेंशन स्थित एक गैरेज में उद्यम क्षेत्र में कदम रखा। उनके लिए इंडियन ऑयल एक शिक्षण महाविद्यालय की तरह बन गया। उन्होंने तेल की जाँच करनेवाले उपकरण को विकसित किया। 20,000 रुपए से व्यवसाय शुरू कर उन्होंने 5 करोड़ रुपए वार्षिक विक्रय और 1.5 करोड़ रुपए के फायदे तक का सफर तय किया। अपने व्यवसाय के लिए वित्त जुटाने के लिए उन्होंने अपना मकान तक बेच दिया।

तभी एक दुर्घटना घटी! उनके दोनों बच्चे प्रदूषित जल पीने की वजह से

गंभीर रूप से बीमार पड़ गए। यहीं से उन्हें जल शोधक तैयार करने की प्रेरणा मिली, जिसके लिए उन्होंने रिजर्व ओस्मोसिस (आर.ओ.) तकनीक एवं यूरेका फोर्ब्स की तरह अल्ट्रावायलेट प्यूरीफायर का प्रयोग किया। उन्होंने इसे लेकर आगे बढ़ने की सोची। उद्यमिता की यह सच्ची कसौटी है। एक उद्यमी के रूप में अच्छी मार्केटिंग की जरूरत महसूस करना उनकी बुद्धिमत्ता को जाहिर करता है। वह रचनात्मक व प्रवर्तनकारी होने के साथ केंट प्यूरीफायर की पब्लिसिटी के लिए हेमामालिनी व उनकी बेटियों की मदद लेने के लिए उन्होंने काफी साहस से काम लिया। विक्रय बढ़ा और अब उनके पास नोएडा एवं रुड़की में दो संयंत्र हैं।

किसी भी सफलता की कहानी में जब मार्केटिंग को कुशल आफ्टर सेकंड नेटवर्किंग से जोड़ दिया जाता है तो वह प्रभावी मार्केटिंग बन जाती है। मार्केटिंग के विषय में दायरे से बढ़कर सोचने से उन्हें मदद मिली। उन्होंने केंट ब्रांड की डीलर नेटवर्क में बहुत ज्यादा बड़ाई न करके इंडियन ऑयल बिग बाजार एवं विभिन्न फुटकर स्टोरों के साथ व्यूह रचनात्मक मार्केटिंग को अपनाया। स्वास्थ्य एवं शुद्धीकरण के क्षेत्र में आगे बढ़ा उद्यमी कभी भी नए उत्पाद के विषय में नहीं सोचता। वर्तमान में उनके बेटे मुकेश कोलंबिया विश्वविद्यालय में शिक्षा ग्रहण कर रहे हैं और आने वाले वर्षों में केंट से आपको ज्यादा उम्मीदें हो सकती हैं।

❑

मेहर पुदुमजी व अनु आगा

"माँ-बेटी की टीम भारतीय महिलाओं के लिए सशक्तीकरण की दिशा में उनकी मनोवृत्ति में परिवर्तन कर रही हैं।"

मेहर पुदुमजी, चेयरपर्सन (थर्मेक्स) ने 2005 में अपनी माँ अनु आगा से कार्यभार ग्रहण किया। नौशेरजी वाहिया कॉलेज, पुणे से शिक्षा ग्रहण करने के उपरांत उन्होंने लंदन से केमिकल इंजीनियरिंग की पढ़ाई पूरी की। तत्पश्चात् सन् 1990 में बतौर प्रशिक्षु कार्य प्रारंभ किया। वर्ष 2009 में उन्हें बिजनेस स्टैंडर्ड की तरफ से सी.ई.ओ. ऑफ दि ईयर चुना गया। चीन समेत सारी दुनिया में वह अपने व्यवसाय का विस्तार कर रही हैं। एनर्जी एवं एन्वायरनमेंट सॉल्यूशंस के क्षेत्र में थर्मेक्स आज 3,300 करोड़ टर्नओवर का ब्रांड है। एक बहुत ही लाभकारी कंपनी होने के कारण इसके अंश धारक पूरी तरह खुश रहते हैं। वर्ष 1996 में थर्मेक्स की चेयरपर्सन के रूप में काफी चुनौतीपूर्ण वातावरण में अनु आगा ने पदभार ग्रहण किया। उन्हें अपने पति रोहिंतम आगा की बड़ी जिम्मेदारियों को वहन करना था। उन्होंने '80 के दशक में एक छोटी सी बायलर कंपनी के रूप में थर्मेक्स की स्थापना कर इसे इंजीनियरिंग एवं एन्वायरनमेंट सॉल्यूशन के क्षेत्र में अग्रगामी बनाया।

अनु तीन मूल्यों को अपने संगठन के लिए सर्वाधिक महत्त्वपूर्ण बताती हैं—अनौपचारिक अधिक्रम का अभाव एवं कार्य के प्रति समर्पण (नशे की तरह)। कंपनी द्वारा सुधार की दिशा में निर्दिष्ट क्षेत्रों में से एक है। कर्मचारियों से सीखने के अवसरों में वृद्धि। यह सीख मात्र कार्य से संबंधित नहीं है। इसका एक भाग यह सुनिश्चित करना है कि पर्यवेक्षक प्रबंधक ऐसे प्रशिक्षण में सम्मिलित होने के लिए अपने स्टाफ को अनुमति दें। समृद्धि की स्थिति से सबसे बहादुर औद्योगिक महिला होने का गौरव प्राप्त करनेवाली अनु और मेहर भारतीय महिलाओं के लिए दिग्दर्शक हैं। साथ ही माँ-बेटी की यह टीम ऐसे लोगों के लिए भी प्रेरणा है, जो पारिवारिक व्यवसाय में लगे हुए हैं। सेवानिवृत्ति के पश्चात् अनु सामाजिक कल्याण के कार्यों में कदम रखने जा रही हैं। उन्होंने अपने मूल्यों एवं अनुभवों की थाती अपनी बेटी को सौंपी है, जिससे मेहर को अपने पति फेरोजी पुदुमजी के साथ मिलकर अपनी स्वयं की प्रबंधन शैली ईजाद करनी है।

❑

MOTILAL OSWAL

मोतीलाल ओसवाल

> "प्रत्येक व्यक्ति में अपरिमित शक्ति होती है और उद्यमिता और कुछ नहीं बल्कि अधिक से अधिक ऊँचाइयाँ हासिल करने के लिए उसी शक्ति का दोहन है।"

चार्टर्ड एकाउंटेंट योग्यताधारी मोतीलाल ओसवाल के उद्यम के कीड़े ने उन्हें बहुत पहले ही काट लिया था। सी.एस. की पढ़ाई समाप्त करने के पश्चात् उनके सामने दो विकल्प थे—सी.ए. की प्रैक्टिस शुरू करना या पारिवारिक व्यवसाय अपनाना। किंतु वे अपने एक मित्र रामदेव अग्रवाल के साथ दलाली व्यवसाय में कूद पड़े। अनुसंधान पर आधारित मशविरे पर अमल करना ही मोतीलाल ओसवाल फाइनेंशियल सर्विसेज लिमिटेड की कसौटी रही है, जिसमें वित्तीय सेवाओं का विस्तृत क्षेत्र सम्मिलित है, जैसे ब्रोकिंग एंड डिस्ट्रीब्यूशन, वेल्थ मैनेजमेंट, इंस्टीट्यूशनल एक्विटीज, इनवेस्टमेंट बैंकिंग, प्राइवेट इक्विटी एस्सेट मैनेजमेंट। 1987 में कंपनी की शुरुआत एक छोटी-सी ब्रोकिंग यूनिट के रूप में हुई, जिसमें दो लोगों पर ही सारा कार्यभार था। एक फ्रेंचाइजी मॉडल के माध्यम से देश में उद्यमिता को पोषित करने व बढ़ावा देने के उनके उत्साह का ही परिमाण है कि आज कंपनी के संचालन में 3,000 व्यावसायिक सहयोगी 500 शहरों में 1,397 व्यावसायिक स्थलों में लगभग 6 लाख ग्राहक संख्या के साथ लगे

हुए हैं। और ज्यादा से ज्यादा उद्यमी इस विकास गाथा का हिस्सा बनने के लिए बतौर फ्रेंचाईजीज कंपनी से जुड़ रहे हैं।

उद्यमिता पर उनका दृष्टिकोण कुछ इस तरह है—"मेरी राय में उद्यमिता अत्यधिक सरल है। यह प्रतिक्षण स्वयं एवं आपके आस-पास के लोगों को प्रेरित करने की दिशा में स्व-प्रोत्साहन व अभियान है। प्रत्येक व्यक्ति में अपरिमित शक्ति निहित होती है और उद्यमिता और कुछ नहीं बल्कि अधिक से अधिक ऊँचाइयाँ हासिल करने के लिए उसी शक्ति का दोहन है।"

उन्होंने बी.एस.ई., इंडियन मर्चेंट्स चेंबर (आई.एम.सी.) के गवर्निंग बोर्ड में अपनी सेवाएँ देने के अलावा बी.एस.ई., एन.एस.ई., एस.ई.बी.आई. और सी.डी.एल.एल. जैसी समितियों में अपनी सेवाएँ दी हैं। वित्तीय वर्ष 1995 से 1999 तक के पाँच वर्षों में सर्वाधिक आयकर भुगतानकर्ता होने के कारण भारत सरकार की ओर से उन्हें राष्ट्रीय सम्मान पत्र से सम्मानित किया गया है। अपने व्यावसायिक योगदान के लिए उन्हें कई अन्य पुरस्कारों से सम्मानित किया गया है, जैसे आई.सी.एम.ई. द्वारा नाईट ऑफ मिलेनियम, एक्सिलेंट बिजनेस एचीवर इन फाइनेंशियल सर्विसेज अवार्ड, उद्योग रत्न अवार्ड, जोकि देश के औद्योगिक विकास में उनके उल्लेखनीय कार्यों हेतु इंस्टीट्यूट ऑफ इकोनॉमिक स्टडीज नई दिल्ली द्वारा प्रदान किया गया। उन्हें फ्रेंचाइजिंग वर्ल्ड मैगनीज द्वारा 'हाल ऑफ फेम फॉर एक्सिलेंस इन फ्रेंचाइजिंग अवार्ड' एवं जी बिजनेस द्वारा स्पेशल कंट्रीब्यूशन टु इंडियन केपिटल मार्केट अवार्ड भी प्रदान किए गए हैं।

❑

मोहनीश पाब्रे

"अमेरिका में एक सामाजिक उद्यमी, इंडियन अमेरिकन इन्वेस्टर द्वारा भारत के गरीब से गरीब तबके के लोगों को आई.आई.टी. संस्थानों में छात्रों के रूप में प्रवेश दिलाकर उनके परिवारों को गरीबी के मकड़जाल से छुटकारा दिलाने हेतु प्रयत्नशील।"

वारेन बफे के परोपकारी कार्यों से प्रेरित होकर मोहनीश पाब्रे ने अपनी पत्नी हरीना कपूर के साथ 'दक्षिणा फाउंडेशन' की स्थापना की। वर्ष 2007 में मोहनीश ने महान् विनियोगकर्ता वारेन बफेट के साथ आयोजित चैरिटी लंच के लिए 6,50,100 डॉलर की बोली लगा दी। मोहनीश के 'दक्षिणा फाउंडेशन' द्वारा इंजीनियरिंग प्रवेश परीक्षा के अत्यधिक प्रतियोगी परिवेश के क्षेत्र में प्रभावशील कार्य किया जा रहा है। ग्रामीण एवं उप-शहरी क्षेत्रों में जवाहर नवोदय विद्यालय के अंतर्गत शासकीय स्कूलों में दक्षिणा फाउंडेशन द्वारा छात्रों को संसाधन व

सहयोग उपलब्ध कराया जा रहा है, ताकि उन्हें आई.आई.टी. संयुक्त प्रवेश परीक्षा, आई.आई.टी., जे.ई.ई. एवं अखिल भारतीय इंजीनियरिंग प्रवेश परीक्षा (AIEEE) में प्रवेश प्राप्त हो सके। मोहनीश ने यह लक्ष्य तय कर रखा है कि वर्ष 2020 तक जवाहर नवोदय विद्यालय व्यवस्था से देश के प्रमुख तकनीकी विद्यालयों में 2,020 छात्र प्रवेश प्राप्त करेंगे। उनके दक्षिणा फाउंडेशन की तर्ज पर कुछ और संस्थान हैं, जैसे एफ.आई.आई.टी.जे.ई.ई. (FIITJEE), फैंटास्टिक फोटी, पटना में आनंद कुमार का 'सुपर 30', रंसोनेंस कॅरियर पॉइंट, टाइम इत्यादि जो गरीब छात्रों को आई.आई.टी.—जे.ई.ई. के लिए मुफ्त प्रशिक्षण उपलब्ध करा रहे हैं। भारत में यह एक आश्चर्यजनक कार्य है, क्योंकि निश्चित तौर पर ऐसे प्रयास वर्षों में नहीं तो दशकों में गरीबी उन्मूलन में सहायक सिद्ध होंगे। सच ही कहा गया है कि बच्चों की बौद्धिक क्षमता जन्म से एक जैसी होती है, किंतु उन्हें बराबरी के अवसर प्राप्त नहीं होते। मोहनीश जैसे अच्छे लोग 2,100 रुपए मासिक आयवाले एक दर्जी के बेटे टी. अशोक कुमार जैसे गरीब छात्रों को ऐसे अवसर उपलब्ध कराते हैं। अशोक ने IIT-JEE में 63वीं वरीयता प्राप्त की और उसे मुंबई आई.आई.टी. में कंप्यूटर साइंस पाठ्यक्रम में प्रवेश मिला है।

दक्षिणा फाउंडेशन द्वारा वर्ष 2007 से अब तक 30 लाख डॉलर की राशि खर्च की जा चुकी है, जिसके काफी सुखद व सराहनीय परिणाम सामने आए हैं। इस वर्ष दक्षिणा फाउंडेशन के 90 छात्रों ने अपना नाम आई.आई.टी. की वरीयता क्रम सूची में दर्ज कराया है, जबकि पिछले वर्ष यह संख्या 75 थी। अर्थात् पिछले वर्ष के 21 प्रतिशत की तुलना में इस वर्ष यह आँकड़ा 31 प्रतिशत है। मोहनीश इसका श्रेय फाउंडेशन के सी.ई.ओ. कर्नल राम शर्मा के नेतृत्व में संचालित टीम (पुणे) को देते हैं। दक्षिणा फाउंडेशन से जुड़े ऐसे छात्र, जिनका चयन आई.आई.टी. में नहीं हो सका, उन्हें भी देश भर के इंजीनियरिंग महाविद्यालयों में प्रवेश उपलब्ध कराया गया है।

❑

रमेश अग्रवाल

> "जीवन का 10 प्रतिशत इस बात पर निर्भर करता है कि आप इसे कैसा निर्मित करते हैं और शेष 90 प्रतिशत इस बात पर कि आप इसे कैसे स्वीकारते हैं।"

उन्होंने वर्ष 1980 में आई.ए.एफ. के चेयरमैन के रूप में अपने कॅरियर की शुरुआत की। वहाँ वे 1986 तक कार्यरत रहे। उन्हें चेन्नई एयरफोर्स के 542 कैडेटों में सर्वश्रेष्ठ कैडेट घोषित किया गया। अपनी स्कूली शिक्षा के दौरान उन्होंने एन.एस.सी. एवं एन.एस.एस. के क्रिया-कलापों में हिस्सा लेकर सर्वश्रेष्ठ प्रदर्शन के लिए पुरस्कार प्राप्त किया। इन सब से उन्हें जीवन के वे सभी श्रेष्ठ मूल्य हासिल हुए, जो किसी भी व्यवसाय में सफलता के लिए आवश्यक हैं। सन् 1988 में उन्होंने हैदराबाद में पैकिंग एवं यातायात कारोबार में कदम रखा तथा 'अग्रवाल पैकर्स एंड मूवर्स' के नाम से स्वयं का उद्यम प्रारंभ किया। साल दर साल उन्हें ज्यादा-से-ज्यादा अनुभव के साथ ही बहुत सी सीख मिलती रही। अपनी उत्कृष्ट सेवाओं के लिए वर्ष 2001 में उन्हें 'भारत उद्योग रत्न' एवं 2004 में 'परिवर्तन श्रेष्ठ' जैसे अनेक पुरस्कार प्राप्त हुए। उन्होंने घर-घर जाकर पैकिंग करने से लेकर भंडारण, लॉजिस्टिक्स एवं अवसंरचनाओं तक अपने

व्यवसाय का विस्तार किया है। अपनी सफलताओं के कारण उन्हें अनेक व्यवसायों में कदम रखने की प्रेरणा मिली। सन् 1987 में उनका पहला क्लाइंट उनकी सेवाओं में त्रुटियों की वजह से उन पर काफी नाराज हुआ। किंतु उन्होंने उससे विनम्रतापूर्वक माफी माँग ली और उससे पैकेजिंग की कला सीख ली। कुछ वर्षों के दौरान वे अपने पसंदीदा व्यावसायिक क्षेत्र में काफी ऊँचाइयों पर पहुँच गए। वर्तमान में सैमसंग एवं एल.जी. जैसे उद्योग, जिन्हें वर्ष 1994-95 के दौरान टूट-फूट के कारण भारी नुकसान उठाना पड़ा, आज उनकी सेवा ले रहे हैं, जिससे टूट-फूट में भारी कमी आई है।

वर्ष 1987 में उन्होंने इस क्षेत्र को छोड़कर यातायात एवं लॉजिस्टिक्स व्यवसायों में कुछ नया करने का निर्णय लिया, जो कि उनका सबसे बड़ा एवं साहसपूर्ण निर्णय था। उन्होंने जिंदल ग्रुप के ओ.पी. जिंदल, जिन्होंने बाल्टियाँ बनाने से अपना कारोबार प्रारंभ किया, से प्रेरणा प्राप्त की। वे उनके आदर्श एवं परामर्शदाता भी हैं। उनका मानना है कि चुनौतियों को स्वीकार करना और उनसे सकारात्मक परिणाम प्राप्त करना तथा अपनी गलतियों से सीख लेना एवं उनकी पुनरावृत्ति न करना ही उद्यमिता है।

एक सफल उद्यमी के रूप में उनका यकीन है कि एक उद्यमी को अपने समय का अधिकतर भाग अपने कारोबार में ही उत्साह और समर्पण के साथ खर्च करना चाहिए। उनका सुझाव है कि आप अपनी कार्ययोजना को पहले तय कर लें, तत्पश्चात् भाग्य आपका पीछा करेगा। आप अपने दृष्टिकोण को पक्का व सकारात्मक बनाएँ और अच्छे लोगों का चयन करके उनमें नेतृत्वशील व्यक्तियों को तलाशें। कितना सरल!

❑

दैनिक भास्कर

रमेश चंद्र अग्रवाल

"उद्यमिता स्वयं घटित नहीं होती। इसे वहाँ घटित कराया जाता है, जहाँ ऊँचाइयों की सीमा आसमान से भी परे होती है।"

दैनिक भास्कर समूह भारत का सबसे बड़ा समाचार-पत्र समूह है। दैनिक भास्कर की स्थापना सन् 1958 में श्री द्वारका प्रसाद अग्रवाल द्वारा की गई थी। उनके पुत्र रमेश चंद्र अग्रवाल वर्तमान में इस ग्रुप के चेयरमैन हैं। आज 1.68 करोड़ पाठक संख्या के साथ यह सबसे बड़ा समाचार-पत्र समूह है। देश भर में इसके 155 कार्यालय, 8,000 से अधिक कर्मचारी, 27 प्रकाशन केंद्र, 48 संस्करण, 2,700 संवाददाता और 253 समाचार ब्यूरो कार्यालय हैं।

यह समूह 6 दैनिक समाचार-पत्रों 'दैनिक भास्कर' (हिंदी), 'दिव्य भास्कर' (गुजराती), 'डी.बी. गोल्ड' (कांपेक्ट हिंदी न्यूजपेपर), 'डी.एन.ए.' (अंग्रेजी) एवं 'प्रभात किरण'—के साथ 11 राज्यों में फैला हुआ है। यह 'बिजनेस भास्कर' नामक एक हिंदी वित्तीय समाचार-पत्र भी प्रकाशित करता है। इसकी अनुपम स्थिति के साथ यह स्वयं में व्यवसाय से उपभोक्ता को जोड़नेवाला पहला समाचार पत्र है। रमेश चंद्र अग्रवाल के साथ उनके तीन बेटे—सुधीर अग्रवाल, गिरीश

अग्रवाल एवं पवन अग्रवाल व्यवसाय में सहयोग करते हैं। इस ग्रुप के एम.डी. (प्रबंध निदेशक) सुधीर अग्रवाल हैं। वे संपूर्ण समाचार पत्र व्यवसाय को संचालित करते हैं। विशेष रूप से संपादकीय विषय सामग्री व पाठकों से संबंधित बातों पर वे अपना ध्यान केंद्रित करते हैं। गिरीश अग्रवाल विपणन व विक्रय के क्षेत्र में निपुण हैं तो पवन अग्रवाल अवसंरचना, तकनीकी एवं एम.वाई.एफ.एफ. रेडियो ब्रांड का प्रभार रखते हैं। वे तीनों काफी जोश-खरोश के साथ अपने-अपने कार्य को सँभालते हैं। उनमें से प्रत्येक अपने क्षेत्र के ऊर्जावान् उद्यमी हैं।

उनके नेतृत्व में यह समूह अपने आक्रामक विपणन के लिए विख्यात है। उनके सफल लॉन्च मॉडल को न केवल कक्षा परिवर्तन उन्नयन के रूप में वर्गीकृत किया गया है अपितु इसे प्रक्रिया उन्नयन हेतु मैरिको इनोवेशन अवार्ड से भी नवाजा गया है। अहमदाबाद में 'दिव्य भास्कर' की शुरुआत आई.आई.एम., अहमदाबाद में केस स्टडी का विषय है। भास्कर समूह आज एक अच्छा विविधीकृत समूह है, जिसकी रुचि न केवल मीडिया तंत्र में है, अपितु तरल निकास, टेक्सटाइल्स, ऊर्जा एवं अन्य अनेक कार्यों में भी है। सफलता के साथ आनेवाली कॉरपोरेट सामाजिक जिम्मेदारी को न भूलते हुए दैनिक भास्कर समूह ने संस्कार वेली स्कूल, भोपाल की स्थापना की है, जिसका उद्देश्य बच्चों को उनके अपने लक्ष्य के रास्तों का निर्माण करना है। यह अपने सभी बाजार क्षेत्रों में जल संरक्षण की दिशा में कार्य करता रहा है। रमेश चंद्र, सुधीर, गिरीश और पवन ने नवोदित उद्यमियों को मीडिया उद्योग में सफल उद्यमी के रूप में काम करने का रास्ता प्रशस्त किया है। ❑

TV18

राघव बहल

"याद रखें कि जब आप उद्यम क्षेत्र में आगे कदम बढ़ाएँगे तो मात्र आपकी विश्वसनीयता एवं ईमानदारी ही आपके साथ होगी। यही आपकी सबसे बड़ी दौलत है। आपको ईमानदार होना चाहिए—ईमानदार अपने सहकर्मियों के प्रति, अपने साझेदारों के प्रति, अपने विक्रेताओं के प्रति और अपने ग्राहकों के प्रति।"

वर्ष 2007 के लिए 'अर्नेस्ट एंड यंग' द्वारा प्रदान किए जानेवाले 'इंटरप्रिन्योर ऑफ दि ईयर' पुरस्कार से राघव बहल को सम्मानित किया गया है। यह पुरस्कार विश्व भर के उद्यमियों के उद्यमीय प्रयासों का 'स्वर्ण मानक' है। एक उद्यमी की पहचान उसकी कंपनी से होती है।

50 वर्ष की उम्र में वे प्रथम पीढ़ी के उद्यमी हैं। उन्होंने '90 के दशक के मध्य में टेलीविजन सॉफ्टवेयर हाउस के रूप में नेटवर्क 18 (अब टी.वी. 18) की शुरुआत की और भारत के प्रमुख मीडिया व्यवसायियों के बीच उभरने के लिए साहसिक कदम उठाया। भई वाह! 'रुकावट के लिए खेद है' के दिनों के दौरान वह भारत के प्रथम व्यावसायिक

समाचार प्रसारक रहे। उन्होंने व्यावसायिक समाचार के लिए हुनर विकसित किया। उन्होंने बी.बी.सी. के लिए सफलतापूर्वक 'दि इंडिया शो' एवं 'दि इंडिया बिजनेस रिपोर्ट' तैयार किया। लेकिन उनकी अटकलों ने उन्हें सदा भविष्य के लिए सोचने को विवश किया। एक अनुभवी उद्यमी के रूप में जो वे कर रहे होते हैं, उसका परिणाम देख सकने की उनमें क्षमता है। इसके आधार पर वे मीडिया क्षेत्र की अगली संभावनाओं पर जुआ खेल लेते हैं। कई वर्षों तक उन्हें मुसीबतों से जूझना पड़ा, किंतु वे अपनी टीम के साथ सफलतापूर्वक अग्नि-परीक्षा में खरे उतरे। आज उनके मीडिया हाउस में तीन सर्वोत्कृष्ट अंतरराष्ट्रीय संपत्तियाँ सी.एन.बी.सी., सी.एन.एन. और वाय. कॉम हैं। उनकी कंपनी पूर्ण पैमाने की प्रसारण व्यवस्था है, जो व्यावसायिक समाचारों में अपना विशिष्ट स्थान रखती है।

राघव बहल का जन्म एक आई.ए.एस. परिवार में हुआ था। उनके दादाजी एक शासकीय महाविद्यालय के प्राचार्य थे। प्रशासकीय सेवा से जुड़े परिवार से ताल्लुक रखते हुए भी उन्होंने उद्यमी बनने का निश्चय किया। सेंट स्टीफंस कॉलेज से शिक्षा प्राप्त कर उन्होंने दिल्ली विश्वविद्यालय से एम.बी.ए. किया। तत्पश्चात् डॉक्टरेट करने हेतु कोलंबिया चले गए, किंतु फिर लौटकर अपनी रुचि का कार्य करने का निश्चय किया। और यही उनकी सफलता का रहस्य है। उन्हें सार्वजनिक भाषण एवं वाद-विवाद में गहरी रुचि है। कॉलेज में वे बहुधा टेलीविजन शो की प्रस्तुति किया करते थे। उनके स्वतंत्र कार्यक्षेत्र के कारण उन्हें जीवन का सर्वश्रेष्ठ पुरस्कार प्राप्त हुआ।

❑

ERNST & YOUNG
Quality In Everything We Do

राजीव मेमानी

"गहन जानकारी और उत्साह के माध्यम से उद्यमी अपेक्षाकृत ज्यादा उज्ज्वल भविष्य के लेखक होते हैं। अर्नस्ट एंड यंग एंटरप्रेन्योर ऑफ दि ईयर अवार्ड द्वारा सफल उद्यमियों की पहचान होती है और उन्हें सम्मानित किया जाता है।"

दुनिया भर के उद्यमी मेरी नजर में बेजोड़ किस्म के लोगों का एक समूह हैं। क्योंकि वे रोजगार में वृद्धि व गरीबी में कमी लाते हैं। उद्यमिता को प्रोत्साहित करने के लिए 22 वर्ष पूर्व अर्नस्ट एंड यंग द्वारा अर्नस्ट एंड यंग एंटरप्रेन्योर ऑफ दि ईयर अवार्ड की शुरुआत की गई। अब यह अवार्ड विश्व के 135 देशों में प्रदान किया जाता है। 10 वर्ष पूर्व इन देशों में भारत को भी शामिल किया गया। पुरस्कार के विजेताओं को प्रशंसित एवं व्यावसायिक तौर पर उनकी उद्यमीय यात्राओं के लिए एक अत्यधिक भव्य पुरस्कार समारोह में पुरस्कृत किया जाता है। वर्षों के पश्चात् अर्नस्ट एंड यंग अवार्ड को विश्व का सर्वाधिक प्रतिष्ठित अवार्ड माना

जाता है। भारत में नारायण मूर्ति, अनिल अग्रवाल, सुनील मित्तल जैसे पुरुष व महिलाओं को इस अवार्ड से सम्मानित किया जा चुका है।

अर्नस्ट एंड यंग एंटरप्रेन्यूरियल अवार्ड्स के पीछे एक व्यवसायी सी.ए. राजीव मेमानी हैं, जो कि वर्ष 2009 में अर्नस्ट एंड यंग के कंट्री मैनेजिंग पार्टनर बने। वर्तमान में यह प्रतिष्ठान भारत का सबसे बड़ा सेवा संगठन है, जिसमें कर, लेन देन, जोखिम एवं आश्वासन सम्मिलित हैं। वह 20 वर्षों से कंपनी के साथ जुड़े हुए हैं। इन वर्षों के दौरान उन्होंने सफलतापूर्वक अनेक बहुराष्ट्रीय कंपनियों को निजी एवं सार्वजनिक क्षेत्र में उनके प्रवेश के पूर्व सलाह दी। उनके विशेष कार्यों में एम.एंड ए. सलाहकार, मूल्यांकन एवं पुनर्निर्माण सम्मिलित हैं। प्रमुख वित्तीय सूचना प्रदायम ब्लूबर्ग द्वारा अर्नस्ट एंड यंग को विलयों एवं अधिग्रहणों में सर्वोपरि घोषित किया गया है।

कॉन्फेडरेशन ऑफ इंडियन इंडस्ट्री (सी.आई.आई.) एवं एफ.आई.सी.सी.आई. जैसे व्यावसायिक एवं औद्योगिक संगठन ने राजीव को राष्ट्रीय कॉरपोरेट प्रबंधन का नेतृत्व करने के लिए आमंत्रित किया; क्योंकि वे व्यावसायिक रूप से इन संगठनों में काफी सक्रिय हैं। उन्हें वर्ल्ड इकोनॉमिक फोरम ने नए एशियाई नेताओं (न्यू एशियन लीडर्स) में से एक चुना है। यह एशिया के विकास हेतु कार्यक्रमों को बनाने वाला व्यवसाय एवं राजनीति से जुड़े 100 युवा नेताओं का नेटवर्क है। इंडियन स्कूल ऑफ बिजनेस (आई.एस.बी.) और इंडियन इंस्टीट्यूट ऑफ मैनेजमेंट (आई.आई.एम.) जैसे व्यावसायिक संस्थानों एवं प्रमुख व्यावसायिक संगठनों जैसे वर्ल्ड इकोनॉमिक फोरम, एफ.आई.सी.सी.आई. एवं सी.आई.आई. में उन्हें अतिथि वक्ता के रूप में नियमित आमंत्रित किया जाता है। कोई भी सफल उद्यमी वार्षिक पुरस्कार के लिए आवेदन कर सकता है। अधिक जानकारी के लिए www.ey.com में संपर्क किया जा सकता है।

❑

राजेश मेहता

> "एक उद्यमी को सफल होने के लिए उत्कृष्टता की भावना का बहुतायत से निर्माण करना होता है।"

एक उद्यमी, जो मात्र दिवास्वप्न से अपनी शुरुआत करता है, वह एक भारी आकृति की मधुमक्खी की तरह होता है, जिसे यह नहीं मालूम होता कि वह अपनी आकृति एवं शरीर के सापेक्ष कुल पंख क्षेत्र के कारण उड़ नहीं सकती। लेकिन वह मधुमक्खी आगे बढ़कर बार-बार उड़ने की कोशिश करती है। कभी-कभी अज्ञानता ही वरदान बन जाती है और वह ऊपर की ओर लगातार उड़ने में सफल हो जाती है। राजेश मेहता की उद्यमीय कहानी भी बहुत कुछ ऐसी ही एक भारी आकृति की मधुमक्खी की तरह है।

मुझे हमेशा यही लगता था कि ज्वेलरी व्यवसाय ज्वेलरी दुकान (4,00,00 छोटे फुटकर दुकानदार और 8,50,000 सुनार, जो सोने के आभूषण बेचते हैं) में ही होता है। लेकिन राजेश मेहता की उद्यमीय कहानी की जानकारी होने के बाद मैंने इस व्यवसाय का एक नया आयाम पाया। उनके पिता एक छोटी सी ज्वेलरी

की दुकान चलाते थे। छात्र जीवन में उन्होंने ज्वेलरी व्यवसाय में ज्यादा रुचि ली और ज्वेलरी बनाना भी सीखा। उन्होंने अपने से कुछ कर दिखाने के लिए स्कूल की पढ़ाई छोड़ दी और सन् 1983 में अपने भाई प्रशांत के साथ मिलकर अपने पिता से कुछ उधार लेकर चाँदी के गहने खरीदे और 50 प्रतिशत फायदे के साथ घर-घर पहुँचकर उन्हें बेचा। उन्होंने बहुत से सफल उद्यमियों की तरह बहुत छोटी सी शुरुआत से उद्यमिता में कदम बढ़ाया।

सन् 1990 में वह थोक विक्रेता के रूप में व्यवसाय से जुड़े और मुंबई के 20 कारीगरों को रखकर ज्वेलरी निर्माण प्रारंभ किया। स्वर्ण नियंत्रण अधिनियम, जो उनके व्यवसाय में बाधक हो सकता था, '90 के प्रारंभिक दशक में समाप्त हो गया। लेकिन राजेश में छिपे सच्चे उद्यमी ने इसमें छिपी एक पोल पहचान ली। वह यह कि यदि आप निर्यातक हैं तो आप बड़ी तादाद में स्वर्णाभूषण तैयार कर सकते हैं। उन्होंने 5,00,000 वर्ग फीट में विस्तृत स्वर्ण आभूषण फैक्टरी बनाई है। उनकी खूबी अब भी निम्न लागत के साथ प्रवर्तनकारी डिजाइनें हैं। वर्तमान में वह 250 टन स्वर्णवाली फैक्टरी में ज्वेलरी व्यवसाय में 75 टन सोने का प्रयोग कर रहे हैं।

मेरा भारत महान् बन रहा है, जहाँ एक ही पीढ़ी में कोई रोजगार के हजारों अवसर उत्पन्न कर तथा गरीबी कम करके इतनी सार्थक उपलब्धि पा सकता है।

❑

राणा कपूर

> “भारत के एक व्यावसायिक बैंक के रूप में ‘यस बैंक’ का दृष्टिकोण वर्ष 2015 तक भारत में दुनिया का सर्वाधिक गुणवत्तावाला बैंक बनना है।”

राणा की उद्यम यात्रा का आरंभ सन् 1998 में उनके द्वारा रोबो इंडिया फाइनेंस की नींव डालने से हुआ। उन्होंने विश्व के एकमात्र ट्रिपल A(AAA) का दर्जा प्राप्त निजी बैंक रोबोबैंक (नीदरलैंड) के साथ साझेदारी करके उसे संयुक्त विदेशी वित्तीय सेवा संगठन बनाया। उन्होंने वर्ष 2003 में अपनी अंशधारिता बेचकर यस बैंक की शुरुआत की। बड़े सपने देखना और कल्पना करना शुरू करके वह एक पेशेवर उद्यमी बन गए। उद्यमिता की भावना व्यावसायिक प्रबंधन के साथ जुड़ी होनी चाहिए। एक उद्यमी प्राय: अच्छा प्रबंधक भी होता है। प्रबंधन में निष्पादन भी सम्मिलित है, जिसके बगैर कोई उपक्रम प्रभावशाली नहीं होता है। अपने इ-कॅरियर में राणा यह पहले ही जानते थे कि एक व्यावसायिक प्रबंधक अपेक्षाकृत काफी कम लागत में निष्पादन कर सकता है औरं स्वयं उद्यमी की अपेक्षा कई गुना बेहतर कर सकता है।

‘यस बैंक’ निजी बैंकों में सबसे छोटा है और इसकी प्रतियोगिता कई पी.एस.यू.

बैंकों से है, जो अच्छी तरह स्थापित बड़े बैंकों की तरह कुशल व प्रभावशाली हो रहे हैं। यस बैंक छोटे उपक्रमों के लिए विपणन पर जोर दे रहा है। एक उद्यमी के रूप में वह बड़े मस्त स्वभाव के हैं, क्योंकि वे जीवन की गुणवत्ता का आनंद ले रहे हैं। इससे ज्यादा महत्त्वपूर्ण उनके बैंकिंग व्यवसाय की गुणवत्ता है, जिसमें नवोदित उद्यमियों का सहयोग भी सम्मिलित है, क्योंकि धीरे-धीरे इनसे हमारी गरीबी भी कम हो रही है। वर्षों के अंतराल में प्राप्त ग्राहकों एवं उद्योग के व्यावसायिक व्यक्तियों का विश्वास उनकी सबसे बड़ी संपत्ति है। यस बैंक की 150 शाखाएँ स्थापित हो चुकी हैं। उन्होंने न्यूजर्सी (अमेरिका) विश्वविद्यालय से एम.बी.ए. की डिग्री हासिल की है। उन्हें वर्ष 2005 के नवोदित उद्यमी का अवार्ड 'अर्नेस्ट एंड यंग' दिया गया और बीतते वर्षों के दौरान उन्हें अनेक दूसरे पुरस्कार भी प्राप्त हुए। उनके अनुभव के मुताबिक छोटे व्यवसाय अपेक्षाकृत जोखिम से भरे न होकर अच्छे चलते हैं। यस बैंक द्वारा दूसरे बैंकों में नाखुश रहे कार्यकारियों को बेहतर अवसर उपलब्ध कराकर नियुक्त किया गया तथा परिसरों से सीधी भरती भी की गई है। इसके द्वारा यस बैंक प्रोफेशनल इंटरप्रिन्योरशिप प्रोग्राम (वाई.पी.ई.पी.) शुरू किया गया। आज यस बैंक के पास कई ऐसे कार्यकारी हैं, जो उत्साह व जोश से कार्य करने को स्वतंत्र हैं। उद्यमियों को तकनीकी के माध्यम से ज्ञानवर्धक वित्तीय कौशल में सहायता देने के लिए राणा 'यस एस.एम.ई.' का प्रकाशन भी करते हैं।

❑

रितु नंदा

"विक्रय (जिसमें बीमा भी सम्मिलित है) एक संभ्रांत व्यवसाय है, यदि आप इसे व्यावसायिक रूप से करें।"

पहले दवाएँ, नर्सिंग एवं शिक्षण समाज में संभ्रांत व्यवसाय समझे जाते थे। ठीक! आज यदि ऐसे पेशेवर इस पेशे में स्थापित मानकों का अनुसरण नहीं कर पाते तो स्थिति असंतोषजनक हो सकती है। पिछले लगभग 10 वर्षों के दौरान जब से बीमा क्षेत्र को निजी व्यवसायियों के लिए खोल दिया गया है, तब से अब तक 45 से अधिक कंपनियाँ इस क्षेत्र में सक्रिय हुई हैं तथा कुछ और भी इसमें कदम रखनेवाली हैं। आइए, बीमा इतिहास के विषय में कुछ जानें।

भारत में इस व्यवसाय की शुरुआत सन् 1818 में हुई और 1956 तक देश में कुल 245 बीमा कंपनियाँ एवं प्रॉविडेंट सोसाइटियाँ सक्रिय थीं। जीवन बीमा निगम की स्थापना संसद् के एक अधिनियम के तहत हुई थी। इसका तेजी से विकास हुआ। भारत के सकल घरेलू उत्पाद (जी.डी.पी.) में बीमा प्रीमियम का 4.6 प्रतिशत योगदान है, जबकि इसका अंतरराष्ट्रीय औसत 7.08 प्रतिशत है। इसलिए अन्य किसी व्यावसायिक क्षेत्र की तरह बीमा में तरक्की की अंतहीन संभावनाएँ हैं।

रितु नंदा ने भारतीय जीवन बीमा निगम में अभिकर्ता की हैसियत से कदम रखा। उनका जन्म एक उद्यमी परिवार में एक उद्यमी के रूप में हुआ था। वे बीमा क्षेत्र से उनके स्तर की अन्य महिलाओं की तरह अन्यमनस्कतापूर्वक न जुड़कर पूर्ण रुचि व उत्साह के साथ जुड़ीं। लगातार उत्साह से कार्य करते हुए बीमा व्यवसाय उनकी रग-रग में समा गया। इसका उचित पुरस्कार उन्हें तब मिला, जब दुनिया के चोटी के बीमा अभिकर्ताओं को संबोधित करने के लिए उन्हें वर्ष 2006 में द राउंड टेबल द्वारा आमंत्रित किया गया। उनके लिए बीमा कम दूरी की दौड़ न होकर मैराथन दौड़ थी, जो लगातार आगे बढ़ती ही जाती है। बीमा एजेंटों को प्रशिक्षण देते हुए उन्हें एक उद्यमीय अवसर नजर आया, जिसे कार्यान्वित करने के लिए उन्होंने रितु नंदा इंश्योरेंस सर्विस (आर.एन.आई.एस.) की एक शैक्षणिक संस्थान के रूप में स्थापना की। यह संस्थान व्यावसायिक प्रबंधन, वित्तीय प्रबंधन, बैंकिंग, बीमा व बीमांकक विज्ञान के क्षेत्र में ज्ञान और कौशल प्रदान करता है। आर.एन.आई.एस. के अपने स्वयं के प्रशिक्षित शिक्षक व अधोसंरचना है और संपूर्ण भारत में अपने 84 केंद्रों के माध्यम से यहाँ 14 लाख से अधिक बीमा व्यवसायियों ने प्रशिक्षण प्राप्त किया है। इस संस्थान (आर.एन.आई.एस.) का बीमा आधारित अपना स्वयं का समाचार-पत्र है। आज बीमा न केवल एक संभ्रांत व्यवसाय बन चुका है, बल्कि एक बड़ा उद्योग भी है, जिसमें आर.एन.आई.एस. रोजगार के अधिकाधिक अवसर उत्पन्न करने के साथ ही गरीबी भी कम कर रहा है।

❑

रोशनी नादिर

"एक गैरेज से अंतरराष्ट्रीय दिग्गज तक की यात्रा शिव नादिर के लिए बड़ी आश्चर्यजनक रही। अब उनकी बेट रोशनी नादिर ने अपनी स्वयं की यात्रा प्रारंभ की हैं।"

यह मानव मस्तिष्क का करिश्मा एवं भारतीय उद्यमिता का आश्चर्य है कि शिव नादिर ने सन् 1976 में एक बरसाती से अपनी व्यावसायिक यात्रा शुरू की। उन्होंने भारत का पहला पी.सी. तैयार किया। और अब 3.7 अरब डॉलर के स्वामित्व की हैसियत

के साथ 'फोर्ब्स इंडिया' 2009 की 100 सर्वाधिक धनिकों की सूची में उनका नाम 15वें नंबर पर है। हमारे उद्यमी अमेरिकी उद्यमियों की अच्छी आदत का अनुसरण कर रहे हैं, जो करोड़ों-अरबों डॉलर की कमाई कर लेने के पश्चात् स्वास्थ्य, शिक्षा व सामाजिक कल्याण के कार्य के प्रति अपनी जिम्मेदारी निभाते हैं, जो कि अमेरिकी समृद्धता का बहुत महत्त्वपूर्ण कारण होने के साथ-साथ पूँजीवादी अर्थव्यवस्था का वरदान भी है। शिव ने अपने पिता के नाम पर बने न्यास एस.एस.एन. के लिए

उच्च शिक्षा को वहनीय बनाने की दिशा में सन् 1994 में 3 करोड़ डॉलर से अधिक की राशि प्रदान की है। इसके अतिरिक्त कार्नेजी मेलन विश्वविद्यालय के साथ मिलकर एक सॉफ्टवेयर इंजीनियरिंग स्कूल भी संचालित कर रहे हैं।

यह भारत का एक अच्छा चलन है, जहाँ ऐसे सफल उद्यमियों की बेटियाँ संगठनात्मक सामाजिक दायित्व (कॉरपोरेट सोशल रिस्पॉन्सिबिलिटी) में हिस्सेदारी के माध्यम से अपने जीवन को अच्छी दिशा दे रही हैं। शिव नादिर की इकलौती बेटी रोशनी नादिर को एच.सी.एल. कॉर्प. में ईडी एवं सी.ओ.ओ. के रूप में नियुक्त किया गया है। उनका दृष्टिकोण बड़ा स्पष्ट है कि पाँच वर्ष तक वह शिक्षा कार्य की प्रमुख रहेंगी। कुछ समय के लिए और अधिक धनार्जन को टाला जा सकता है।

बी.टी. 2009 की सूची 'द बेस्ट ऑफ द कंपनीज टु वर्क फॉर एच.सी.एल.' की तकनीकियों को 17वें वरीयता क्रम में रखा गया है। शिक्षा के प्रोत्साहन के माध्यम से लोगों का समर्थन एक दीर्घकालीन दृष्टिकोण हो सकता है।

भारत में सी.एस.आर. क्रिया-कलापों से कंपनियों को स्वीकार्यता एवं सम्मान प्राप्त होता है, जिसकी कोई भी कीमत नहीं लगाई जा सकती। रोशनी ने केलॉग में सामाजिक उपक्रम का अध्ययन किया था। अब वह उनके विद्या ज्ञान स्कूलों व शिव नादिर विश्वविद्यालय में अपनी शिक्षा का व्यावहारिक प्रयोग करने जा रही हैं। मेरा मानना है कि इन सबका पूर्ण सफलतम प्रभाव वर्ष 2020 तक परिलक्षित हो सकेगा। उनकी माँ किरण कला-संग्रह के प्रति उत्साह व स्वयं का कला संग्रहालय होने के माध्यम से अपना जीवन सार्थक कर रही हैं। मेरा मानना है कि शिव, किरण और रोशनी के कार्य भारतीयों के लिए प्रेरणास्पद सिद्ध होंगे। मेरी नजर में, यही है सफलता।

❑

रोहित कोचर

"आपके नेतृत्वशील होने से पूर्व, सफलता का अभिप्राय आपकी स्वयं की संवृद्धि है। जब आप नेतृत्वशील बन जाते हैं, तब सफलता का अर्थ आपके पास से दूसरों की संवृद्धि है।"

—जैक वेल्थ

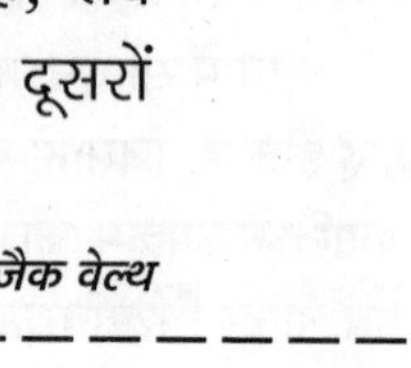

उद्यमिता एक कला है, न कि विज्ञान। रोहित कोचर को मात्र एक अवसर की जरूरत होती है और ज्यों ही कोई अवसर उभरता है, वे दोनों हाथों से उसे झपट लेते हैं। रोहित के मामले में अर्थव्यवस्था के उदारीकरण के साथ ही अवसर निर्मित हुआ। और विदेशी कंपनियों के भारत आकर अपने व्यवसाय की स्थापना के साथ ही उनकी कर्म की दिशा भी तय हो गई।

उन्होंने बंबई विश्वविद्यालय से सन् 1987 में एल.एल.बी. की डिग्री ली। एक स्वतंत्र अधिवक्ता के रूप में उन्होंने सात साल दिल्ली उच्च न्यायालय में प्रैक्टिस की। इस क्षेत्र में उन्होंने अपनी उद्यमीय ऊर्जा व अध्यवसाय का प्रयोग प्रिवेंटिव डिटेंशन एक्ट में विशिष्टीकरण करने में किया। सन् 1994 में रोहित ने दिल्ली में अपनी कॉरपोरेट लॉ फर्म कोचर एंड कंपनी की शुरुआत की। इस नए उद्यम में

विनियोग करने के लिए उनके पास बचत की हुई एक छोटी राशि ही थी। किंतु यदि आपके पास रचनाशीलता, प्रवर्तन, जोश और उत्साह जैसी बातें हैं तो आपके लिए कठिन से कठिन लक्ष्य को हासिल करना सरल हो जाता है। आपराधिक मामलों से अलग होकर कॉरपोरेट लॉ में कदम रखना इतना आसान न था। रोहित को इसमें अपना स्थान बनाने के पूर्व काफी व्यावहारिक कठिनाइयों का सामना करना पड़ा। इसमें प्रतियोगिता अधिक थी, किंतु इसके लिए उन्होंने अपनी लगन से काँटों भरी राह पर अग्रसर रहते हुए सिंगापुर में लॉ फर्मों से संपर्क करने के लिए तीन सप्ताह की यात्रा की। सौभाग्यवश अपनी तीक्ष्णता, व्यक्तित्व एवं व्यावसायिक लगन के कारण उन्हें कुछ लोगों से व्यावसायिक रूप से जुड़ने में सफलता मिली।

आज रोहित के क्लाइंट्स की सूची में एयर बस, अपोलो ग्रुप, एपल, अवाया, ब्लूमबर्ग, कैटरपिलर, सिस्को, एक्साल, मोबिल, मित्सुबिशी कॉरपोरेशन, निसान एवं टोयटा सहित अन्य कई व्यावसायिक ग्रुप सम्मिलित हैं। आज देश में उनकी लॉ फर्म के 6 कार्यालय हैं। विदेश में भी उनके 3 कार्यालय हैं।

समाज के प्रति भी अपना दायित्व निभाने के लिए रोहित कटिबद्ध हैं। इसी के मद्देनजर उन्होंने महिला सशक्तीकरण, बाल कल्याण व शारीरिक दंड की बुराई को समाप्त करने की दिशा में कोचर केयर फाउंडेशन की स्थापना की है।

❑

लक्ष्मण दास मित्तल, दीपक और अमृत सागर

"पाँच दशक पूर्व एक अल्प कालिक बीमा एजेंट के रूप में हुई शुरुआत से 5,000 करोड़ रुपए वाले आई.एन.आर. समूह के सोनालिका इंटरनेशनल तक।"

इस उल्लेखनीय उद्यमीय सफलता की कहानी के उद्यमी नायक हैं लक्ष्मण दास मित्तल और उनके दो बेटे अमृत सागर एवं दीपक। सन् 1996 में शुरू किए गए सोनालिका ट्रैक्टर ब्रांड के संस्थापक होशियारपुर के मित्तल परिवार ने अच्छी कामयाबी हासिल की। यद्यपि उनकी शुरुआत का यह समय अनुकूल नहीं था, किंतु उन्होंने यह कदम उठाया और सफल होकर उभरे।

आज दुनिया भर के लगभग 60 देशों में, जिसमें अमेरिका, ऑस्ट्रेलिया, इटली, ईरान और तुर्की भी सम्मिलित हैं, सोनालिका ट्रैक्टर ने व्यावसायिक मिसाल कायम की है। अमेरिका व अन्य देशों में आयोजित होनेवाले कृषि प्रदर्शनियों के दौरान मित्तल परिवार को कृषकों से अच्छे प्रत्युत्तर प्राप्त हुए।

लक्ष्मणदास मित्तल का पारिवारिक व्यवसाय अनाज डीलरशिप का था। वह

इस व्यवसाय में अपने पिता का हाथ बँटाते थे। सन् 1964 में उन्होंने यह अवलोकन किया कि वर्षा और तूफानों के कारण किसानों को भारी घाटा उठाना पड़ता है। तब अनाज की मिसाई (थ्रेशिंग) की प्रक्रिया परंपरागत तरीके से संपन्न की जाती थी, जिसमें कई दिन लगते थे। कृषि मशीनीकरण तब अस्तित्व में नहीं आया था। उन्होंने फसलों की मिसाई (थ्रेशिंग) प्रक्रिया के लिए एक मशीन की आवश्यकता महसूस की, ताकि उसका भंडारण एवं खराब मौसम से बचाव किया जा सके। एक स्थानीय लुहार की मदद से उन्होंने थ्रेशिंग मशीन की रूपरेखा तैयार कर उसे निर्मित किया। उन्होंने 50 मशीनें तैयार कीं, जिनमें 49 कुछ-न-कुछ खराबियों की वजह से लौट आईं। उन्होंने उन खराबियों को ठीक किया। परिणामस्वरूप उनकी नई स्वचालित गेहूँ मिसाई (थ्रेशिंग) मशीन कामयाब हुई और खूब बिकी। आगे चलकर उन्होंने कृषि यंत्रीकरण की आवश्यकताओं के अनुरूप कृषि यंत्रों व उपकरणों की पूरी शृंखला विकसित की।

मित्तल परिवार ने कृषकों के साथ अच्छी तरह विचारों का आदान-प्रदान कर उनसे प्राप्त प्रत्युत्तरों के आधार पर सोनालिका ट्रैक्टर्स को विकसित किया। अन्य ट्रैक्टर निर्माताओं के साथ कड़ी प्रतियोगिता का सामना करते हुए उन्होंने 2.5 लाख सोनालिका ट्रैक्टरों की बिक्री की है। आज सोनालिका ग्रुप ऑफ कंपनीज़ में इंटरनेशनल ट्रैक्टर्स लिमिटेड (ट्रैक्टर्स, इंजिन एवं आर.एंड डी. अनुभाग), इंटरनेशनल कार एंड मोटर्स लिमिटेड (राइनो, आर.एक्स., एम.यू.वी.) एवं सोनालिका एग्रो इंडस्ट्रीज कॉरपोरेशन फॉर एग्रीकल्चर मशीनरी सम्मिलित हैं। इस समूह की गुणवत्ता के प्रति उत्साह के लिए आई.एस.ओ.—9001-2000, आई.एस.ओ. 1400-2004, आई.एस.ओ. टी.एस. 16949 जैसे प्रमाणन उपलब्ध हैं। इस समूह का सी.एस.आर. क्रिया-कलापों में होशियारपुर में आनंद आश्रम नाम से एक अनाथालय संचालित है।

❑

लक्ष्मी मित्तल और आदित्य मित्तल

> "मुझे सचमुच यकीन है कि उद्यमीय उत्साह, ऊर्जा और कठोर श्रम के मामले में भारत से कोई भी देश होड़ नहीं कर सकता है।"

'*मनी टुडे*' द्वारा पूछे गए एक प्रश्न के प्रत्युत्तर में एल.एन. मित्तल ने कहा, ''मुझे मिले श्रेष्ठतम सुझावों में से एक तारों तक पहुँचने की थी, किंतु मैंने हमेशा एक पैर जमीन पर रखे हुए इस सुझाव का अनुसरण करने की कोशिश की है और मेरा विश्वास है कि इससे आपकी स्थिति सुदृढ़ होगी। इससे महत्त्वाकांक्षी होने और स्वयं को अपनी अखंडता कायम रखते हुए चुनौती देते हुए, जहाँ से आपने अपनी शुरुआत की, के बीच संतुलन स्थापित करता है। मेरा मानना है कि इससे आपको उन बातों से भी निबटने में मदद मिलती है, जो अभी आपके रास्ते में नहीं आईं। सफलता वास्तविकता के दृश्य को खोने की वजह नहीं है।'' और इसीलिए इसमें कोई आश्चर्य की बात नहीं है कि अमेरिकी व्यावसायिक पत्रिका '*फोर्ब्स*' ने तीसरे, '*फोर्ब्स लाइफ टाइम एचीवमेंट अवार्ड*' से उन्हें सम्मानित किया। उन्होंने सन् 1976 में मित्तल स्टील की नींव रखी और 2006 में आर्सेलर से संविलय के पश्चात् आर्सेलर मित्तल बनकर दुनिया के सबसे बड़े स्टील उत्पादक बने।

उद्यमिता की यह सर्वाधिक आश्चर्यजनक कहानी ऐसे भारतीयों के प्रेरणा लेने

और स्व-प्रोत्साहन के लिए है, जो सकारात्मक दृष्टिकोण रखते हैं। लक्ष्मी मित्तल का जन्म 15 जून, 1950 को राजस्थान के साधुपुर में हुआ था। उन्होंने सेंट जेवियर कॉलेज, कोलकाता से बी.कॉम. किया। पारिवारिक व्यवसाय से अपना कॅरियर शुरू करते हुए उन्होंने अपने दो भाइयों के साथ मित्तल स्टील कंपनी बनाई। 26 वर्ष की उम्र में उन्हें इंडोनेशिया भेज दिया गया और शीघ्र ही वह अपने पिता एवं भाइयों से अलग हो गए। 1980 के दशक में अपनी अधिग्रहण की धुन में वह इस उद्योग के चोटी के दिग्गजों में गिने जाने लगे। 14 फरवरी, 2006 के *'इकोनॉमिक टाइम्स'* की एक हेडलाइन में कहा गया है—''आर्सेलर मित्तल ने 10.4 अरब डॉलर का शुद्ध लाभ दर्ज किया।'' यदि किसी भारतीय की प्रेरणास्पद उद्यमिता का कहीं कोई उदाहरण है तो वह यही है। मेरे पेशेवर नजरिए के मुताबिक आदित्य जैसे बेटे के साथ वह दोहरे भाग्यशाली हैं। 'जैसा बाप वैसा बेटा', फिर भी जारी मंदी के दौरान उन्हें 26 अरब डॉलर का घाटा हुआ।

❑

वंदना लूथरा

> “वह अपने उत्पादों और सेवा के माध्यम से लड़कियों एवं महिलाओं को मोनालिसा बनाती है।”

देश की सबसे बड़ी एवं सफल हेल्थ व फिटनेस सेंटर श्रृंखला वी.एल.सी.सी. (वंदना लूथराज् कर्ल्स एंड कर्व्स) के पीछे वंदना लूथरा की सोच है। वह दिल्ली विश्वविद्यालय से स्नातक हैं और जर्मनी से कॉस्मेटोलॉजी का कोर्स भी किया है। तदुपरांत उन्होंने लंदन, म्यूनिख और पेरिस से सौंदर्य सज्जा, फिटनेस, भोजन, पोषण एवं त्वचा संरक्षण में बहुत से कोर्स किए। उन्हें अपने सास-ससुर व पति को विश्वास में लेना पड़ा, क्योंकि शुरू में वे उनके इस सौंदर्य व्यवसाय के पक्ष में नहीं थे। उन्होंने सन् 1989 में पहला फिटनेस सेंटर शुरू किया। तब भारतीय समाज में स्वास्थ्य और सौंदर्य के समन्वय की धारणा बिलकुल नई थी। वह आज 75 शहरों में 150 केंद्रों की श्रृंखला का संचालन कर रही हैं।

इसके अलावा अंतरराष्ट्रीय बाजार में उनके 11 केंद्र संचालित हैं। शुरुआत से अब तक वह लगभग 10 लाख ग्राहकों को अपनी सेवा दे चुकी हैं। वे एक प्रेरणास्पद स्थिति हासिल कर चुकी हैं। वी.एल.सी.सी. ग्रुप के व्यवसाय तीन भागों

में विभाजित हैं—स्लिमिंग, त्वचा एवं केश सेवा, शिक्षा व प्रशिक्षण संस्थान एवं व्यक्तिगत देखभाल उत्पादों का निर्माण था फुटकर विक्रय। वी.एल.सी.सी. को विस्तृत तौर पर इसके वैज्ञानिक वजन घटाने की विधि एवं सौंदर्य-सज्जा के स्वास्थ्यकर दृष्टिकोण के लिए जाना जाता है। उन्होंने और शहनाज हुसैन ने सफलतापूर्वक सौंदर्य व्यवसायों को उद्यमीय कौशल के साथ बढ़ावा दिया है, ताकि युवतियाँ छोटे स्तर पर अपना स्वयं का व्यवसाय प्रारंभ करके अपने-अपने कार्यक्षेत्र में आगे बढ़ सकें। वी.एल.सी.सी. संसार का प्रथम स्लिमिंग, फिटनेस एवं ब्यूटी कॉरपोरेट है, जिसे आई.एस.ओ. 9001-2000 का प्रमाणन सी.एस.आर. स्तरों के कार्यान्वयन हेतु प्राप्त है। इसी विशेषता से उन्हें व्यावसायिक दायरे का नाम व प्रतिष्ठा प्राप्त है।

मेरे नजरिए से, उनकी उद्यमीय सफलता से हजारों-हजार युवाओ को आगे बढ़ने की प्रेरणा लेनी चाहिए, क्योंकि न केवल मेट्रो शहरों बल्कि प्रत्येक गाँव में खूबसूरती और स्वास्थ्य का मुद्दा एक आशा के रूप में ऐसे लोगों के लिए तैयार हो जाता है, जिन्होंने जीवन की आधारभूत आवश्यकताएँ—रोटी, कपड़ा और मकान पूरी कर ली हैं।

❑

MFIN
Microfinance Institutions Network

विजय महाजन

"मैं उन लोगों में से नहीं हूँ, जो पूर्ण समानता में विश्वास करते हैं। मैं सापेक्ष समानता में खुश हूँ।"

वर्ष 1970-75 के दौरान भारत में भारी हलचल मची हुई थी। इस अवधि में जहाँ भारत-पाक युद्ध हुआ तो गुजरात में नवनिर्माण आंदोलन चला। इसके अलावा लोकनायक जयप्रकाश नारायण की समग्र क्रांति भी हुई। इन घटनाओं ने विजय महाजन के अंतर्मन को झकझोर दिया और उन्होंने ठान लिया कि वे असमानता और सामाजिक न्याय के लिए कार्य करेंगे।

अहमदाबाद के आई.आई.एम. से स्नातक करने के बाद 1982 में विजय ने एक गांधीवादी गैर-सरकारी संगठन एसोसिएशन फॉर सर्व सेवा फार्म्स (ASSEFA) के लिए काम करना शुरू किया। फिर वे आचार्य विनोबा भावे के भूदान आंदोलन से जुड़ गए। उन्होंने 15-20 गाँवों के एक हजार परिवारों के साथ काम किया। उनका उद्देश्य उन परिवारों को पूँजी की मदद देकर उस स्थिति में लाना था, जहाँ वे कुछ आय सृजित कर सकते थे। इस कठिन कार्य में उन्होंने अपने अथक परिश्रम से सफलता प्राप्त की।

सन् 1983 में विजय की नवीन सोच के परिणामस्वरूप 'प्रदान' संगठन अस्तित्व में आया, जो गैर-सरकारी संगठनों को तकनीकी और प्रबंधकीय सहायता

उपलब्ध कराता था। इसके अलावा 'प्रदान' ने विकास के क्षेत्र में युवा पेशेवरों के योगदान के प्रचार-प्रसार पर भी बल दिया। 31 दिसंबर, 1990 को विजय ने 'प्रदान' छोड़ दिया। इसी बीच उन्हें फोर्ड फाउंडेशन की ओर से 'सेवा' (SEWA) बैंक का अध्ययन करने का मौका मिला। इसके बाद उन्होंने विश्व बैंक के आमंत्रण पर 'गरीबों के लिए वित्तीय सेवाएँ' विषय पर भी अध्ययन किया। सफलता के शिखर पर चढ़ते विजय ने एक ग्रामीण बैंक भी शुरू किया।

अनेक वर्षों तक विजय पूरी लगन और मेहनत से विकास कार्य में लगे रहे। उन्होंने अपनी सोच का दायरा बढ़ाने के लिए देश भर में भ्रमण किया, गरीबों के बीच रहकर काम किया और उनके जीवन में सुधार लाने के प्रयास किए।

विजय को अब महसूस होने लगा था कि उन्हें क्या करना है। ग्रामीण वित्तीय संस्थाओं की उन्हें अच्छी समझ हो गई थी और उनका आत्मविश्वास भी बढ़ गया था कि वे स्वयं एक ऐसी संस्था चला सकते हैं। वे जल्दी-से-जल्दी दिन-रात काम कर इस प्रकार की संस्था को अस्तित्व में लाना चाहते थे।

आखिर विजय को काफी भागदौड़ के बाद अपने उद्देश्य में सफलता मिल गई। अक्तूबर 1996 में उनके प्रयासों से भारतीय समृद्धि फाइनेंस लिमिटेड अस्तित्व में आई। इसके बाद उन्होंने पीछे मुड़कर नहीं देखा और धुन के पक्के विजय लगातार आगे बढ़ते रहे। इनकी लोकप्रियता बढ़ने लगी। नए-नए उत्पादों और नए-नए माध्यमों से गरीबों के साथ काम करने तथा उनमें अभूतपूर्व सफलता हासिल करने के लिए विजय की चारों ओर प्रशंसा हो रही थी।

असाधारण प्रतिभा के धनी विजय महाजन ने कभी भी कठिन-से-कठिन परिस्थितियों में भी हार नहीं मानी। उन्होंने जिस कार्य को भी हाथ में लिया, उसे सफलता के द्वार तक पहुँचाकर ही साँस ली।

❑

विक्रम सोमानी

“हम गुणवत्ता में अपना नाम स्थापित करना चाहते थे। मैं जानता था कि बाकी सबकुछ उसका अनुसरण करेगा…बाजार बढ़ रहा है और हम लगातार कठोर परिश्रम करते रहेंगे।”

विक्रम के लिए डॉरिस डे का गीत काफी प्रेरणास्पद है। गीत का भावार्थ है—‘जो भी होना है, होगा। उसे देखने का भविष्य हमारा नहीं है।’ तो कोई भी सफल उद्यमी अपने बल पर जोखिम उठाता है। उसे भविष्य का अनुमान नहीं होता, लेकिन वह जानता है कि जोखिम उठाना जरूरी है। यदि क्लिक हुआ तो ‘बल्ले-बल्ले’ और अगर असफलता मिली तो लौटकर अपने पुराने मुकाम पर जाने से कौन रोक सकता है। विक्रम ‘हिंदुस्तान सैनिटरीवेमर’ के सोमानी परिवार से आते हैं। सन् 1997 में परिवार से अलग होकर उन्होंने उस व्यवसाय में नव प्रवर्तन का रास्ता अपनाया, जिसमें वे पले-बढ़े थे। वे भारत-दर्शन पर निकल पड़े और अहमदाबाद पहुँचे। वहाँ उन्हें काडी में जमीन और एक निर्जन स्थान पर प्राकृतिक गैस प्राप्त हुई। एक अच्छी शुरुआत के लिए उनके लिए यही तो जरूरी था, जिसे बहुत से लोग

सौभाग्य कहते हैं। लेकिन मैं इसे एक उद्यमी के नव प्रवर्तन का पुरस्कार कहता हूँ।

आज विक्रम के पास भारत में 500 वितरक और 5,000 फुटकर विक्रय केंद्र हैं। वर्ष 1979 में भट्‍ठे (क्लिन) में प्राकृतिक गैस का प्रयोग एक सचेत व नव प्रवर्तनकारी निर्णय था। इस उद्योग में कोयले जैसे पारंपरिक ईंधन का प्रयोग किया जा रहा था, जिससे सिरेमिक में काले धब्बे आ जाते थे। गैस के इस्तेमाल से उनके सैनिटरीवेय की गुणवत्ता में वृद्धि हुई। और इसमें कोई संदेह नहीं है कि वर्षों से गुणवत्ता ही तो बढ़-चढ़कर बिकती रही है। पिछले 10 से ज्यादा वर्षों में उनके प्रतियोगियों ने भी ईंधन के रूप में गैस का प्रयोग प्रारंभ कर उन्हें प्रशंसित ही किया है। गुणवत्ता के बाद विक्रम ने अपने शक्तिशाली डीलर नेटवर्क के माध्यम से विक्रय एवं विपणन पर अपना ध्यान केंद्रित किया। उनके प्रयास का परिणाम यह हुआ कि प्रतिवर्ष उनका विक्रय 3 लाख नग से बढ़कर 30 लाख नग हो गया। वे अपने उत्पादों का विज्ञापन करने पर यकीन करते हैं, जिसके लिए उन्होंने मीडिया में 20 करोड़ रुपए का बजट रखा है।

अब वे अपने उत्पादों का स्तर और ज्यादा सुधार रहे हैं, जिसके लिए वे इटली की ओर न केवल डिजाइनों, बल्कि संयुक्त उद्यम एवं अधिग्रहण के लिए देख रहे हैं। बाथरूम एसेसरीज के लिए भी वे प्रतिष्ठित बाजारों में जा रहे हैं। 'व्हाइटेस्ट व्हाइट' उत्पादों की उनकी रेंज उनकी ताकत है। 'शेरा बाथ स्टूडियोज' नाम से उनका एक निजी शो-रूम है। वे 300 करोड़ रुपए के टर्न-ओवर को छू रहे हैं औरं अगले तीन वर्षों में 500 करोड़ रुपए की सीमा पार करने का लक्ष्य निर्धारित कर रखा है। वे पहले ही 1,000 करोड़ रुपए के बाजार में 20 प्रतिशत मार्केट शेयर प्राप्त कर तीसरे सबसे बड़े खिलाड़ी बन गए हैं।

❑

LT FOODS LTD.

(Formerly known as LT Overseas Ltd.)

विजय कुमार अरोड़ा

> “एक लार्वा में ऐसा कुछ भी नहीं होता, जो आपको यह बताए कि यह एक दिन एक खूबसूरत तितली बनेगी।”

उद्यमिता पर अपने आर. एंड डी. से मैं इस बात को बिलकुल सत्य पाता हूँ। ‘हम जो हैं’ और ‘हम जो रहे हैं’ से इस बात का कि ‘हम क्या हो सकते हैं’ से कोई संबंध नहीं है। विजय कुमार अरोड़ा के ‘दावत’ राइस ब्रांड से मुझे यही महसूस होता है और मुझे यकीन है कि इनपुट का प्रबंधकीय एवं उद्यमीय मिश्रण के किसी व्यक्ति का एक से बढ़कर एक ऊँचाइयाँ छूना संभव हो जाता है। ये इनपुट क्या हैं? तो कोई भी इनके विषय में खूब बातें कर सकता है और जब हम अपनी कथनी को करनी में बदल देते हैं तो हमें सफलता हासिल होती है, कम-से-कम हमारी अपनी नजर में। लालचंद तीरथराम (एल.टी.) राइस मिल की शुरुआत सन् 1972 में हुई। इसके पूर्व एक व्यापारिक कंपनी के रूप में यह कमीशनिंग एजेंट हुआ करती थी, जिसकी मूल शुरुआत सन् 1965 में हुई। 1976 में विजय ने अपनी कंपनी को अंतरराष्ट्रीय स्तर तक ले जाने के दृष्टिकोण के साथ पारिवारिक व्यवसाय में कदम रखा और 1980 में प्रीमियम राइस के निर्यात के साथ ही प्रारंभिक कदम उठाया गया। शीघ्र ही यह महसूस किया गया कि इस प्रतियोगिता की दुनिया में आगे बढ़ने के लिए

ब्रांड निर्माण की जरूरत होती है और तब 'दावत' ब्रांड तैयार हुआ। आज दावत ब्रांड सभी प्रमुख दर्जों—प्रीमियम, फुटकर, संस्थागत एवं मितव्ययी की आवश्यकताओं की पूर्ति करता है। आज यह ब्रांड 1,000 करोड़ रुपए से अधिक का व्यवसाय बन चुका है। इस सफलता का श्रेय बहुत से अच्छे विचारों, अच्छी तरह सोचे-विचारे, अच्छी तरह कार्यान्वित एवं उत्साहजनक निर्णय को जाता है, जो कि सर्वोत्तम निर्माण अभ्यास एवं अंतरराष्ट्रीय ख्याति-प्राप्त प्रमाणनों के माध्यम से संभव हुए। एल.टी. को आई.एस.ओ. 9001, एच.ए.सी.सी.पी., एस.क्यू.एफ., बी.आर.एस., ऑर्गेनिक एवं ई.आई.सी. प्राप्त हुए हैं, जिससे कंपनी को बाहरी दुनिया के साथ व्यवसाय करने की उचित छवि हासिल होती है।

चावल जैसे उत्पाद के लिए या किसी भी उत्पाद के सही वितरण हेतु दीर्घकालीन सफलता अर्जित करने में नेटवर्क बहुत आवश्यक है। एल.टी. का भारत और विश्व के 60 से अधिक देशों में बहुत मजबूत नेटवर्क है। एल.टी. ने कुशा इनकॉरपोरेशन (अमेरिका) का अधिग्रहण कर अमेरिकी मार्केट में 52 प्रतिशत शेयर हासिल कर लिये हैं। इसका लक्ष्य लीडिंग ग्लोबल राइस फूड्स कंपनी बनना है।

❑

NIIT

विजय के. थडाणी

"रोजगारपरता के आस-पास विशाल अवसर होते हैं, ऐसे सैंकड़ों निट्स अस्तित्ववान रह सकते हैं।"

भारत में भी ऐसा होता है कि विजय ने एक उद्यमी के मानसिक गठन से 12 लाख रुपए की लागत से सन् 1981 में आई.टी. प्रशिक्षण समाधान उपलब्ध कराने की कंपनी का कार्य शुरू किया और आज उनकी आय 1,200 करोड़ रुपए से अधिक है। प्रथम बैच के प्रवेश, नामांकन 99 थे और आज यह निट केंद्रों में 5 लाख से भी अधिक हैं; जबकि सभी अनुलंबों पर इनकी संख्या 1 करोड़ 20 लाख है। यह विश्वास करना इतना सरल नहीं है कि भारत में इसके 1 लाख 25 हजार शिक्षा केंद्र हैं, लगभग 200 आई.टी. केंद्र चीन में हैं और शेष विश्व भर में 170 आई.टी. केंद्र हैं और इन सबके ऊपर राजस्थान के नीमराना में निट विश्वविद्यालय है। वे एक तरह से व्यावसायिक प्रशिक्षण एवं कौशल विकास के क्षेत्र में भारत के हेनरी फोर्ड हैं। अभी भी उनकी सफलता की हद आसमान है, क्योंकि उनका मानना है कि ऐसे 100 निट और अस्तित्व में रह सकते हैं और वर्ष 2020 तक यह

लक्ष्य पूरा होगा। वस्तुतः तभी मेरा भारत सोने की चिड़िया बनेगा और नदियों में दूध, शहद प्रवाहित होगा।

राजेंद्र पवार एवं विजय थडाणी ने मिलकर अपना प्रथम निट केंद्र मुंबई में प्रारंभ किया। उन्होंने सही समय पर सही कदम उठाया, जिसे सच्चे उद्यमियों की स्वजात प्रवृत्ति कहते हैं। तब समय काफी उपयुक्त था क्योंकि आई.बी.एम. ने सन 1981 में पीली प्रारंभ कर दिया था, जिसके पश्चात् 6 लाख स्नातक बेरोजगार थे। निट के संस्थापकों ने देश के लिए अच्छा करने को अपनी-अपनी कर्मभूमि बनाया और अच्छे स्तर के रोजगार के अवसर उपलब्ध कराने के लिए इसके छात्रों और उनके अभिभावकों से ढेर सारी शुभकामनाएँ मिलीं, जिससे उद्यम की यात्रा में सफलता का एक बड़ा आयाम स्थापित हुआ। निस्संदेह रोजगारपरता की वचनबद्धता के साथ निट आज दुनिया की अग्रगामी शैक्षणिक कंपनी के रूप में उभरा है। भारत में शिक्षा भारत सरकार की पूर्ण जिम्मेदारी समझी जाती थी और पवार व थडाणी जैसे उद्यमियों के कारण इसमें निजी क्षेत्र प्रशंसनीय कार्य कर रहे हैं। आज जब विजय के. थडाणी मात्र 57 वर्ष की आयु के हैं, उनकी सफलता के बड़े आयामों के बनने की संभावनाएँ अभी भी हैं। चूँकि उद्यमियों की सफलता से गरीबी कम होती है, अतः उनकी सफलता देश के गरीबों की सफलता सिद्ध होगी।

किसी भी उद्यमी को रेशम की सेज पर सोने से पहले रेत पर चलना पड़ता है। शुरुआत अर्थात् '80 के दशक में उन्हें अपने शिक्षा के मॉडल को सॉफ्टवेयर सेवाओं के व्यवसाय से सँभालना पड़ा। आज निट प्रारंभ से समापन तक शिक्षा, कौशल, कॉरपोरेट प्रशिक्षण संस्थान के साथ विश्वविद्यालय भी बन चुका है। वाह, क्या कहना।

❑

विजय माल्या

“उद्यमिता परिणामों, न कि लक्षणों के द्वारा परिभाषित की जाती है। इस लिहाज से विजय माल्या भारत के महान् उद्यमियों में से एक हैं।”

स्वस्थ प्रतियोगिता ग्राहक, उद्यमियों एवं राष्ट्र के लिए आवश्यक है। क्यों? क्योंकि यह हर किसी के सर्वोत्तम गुणों को विकसित करती है। दशकों पूर्व अमेरिका की कार किराए पर देनेवाली कंपनियों हट्र्ज एवं एविस के बीच जारी प्रतियोगिता लोगों की आँखों के सामने थी, तभी एविस विज्ञापन की इस अमर पंक्ति के साथ सामने आया—‘हम दूसरे नंबर पर हैं, हम अपेक्षाकृत ज्यादा कठिन परिश्रम कर रहे हैं।’ कुछ इसी तरह का व्यावसायिक परिदृश्य भारत में हमारे मद्य पेय व्यवसाय का है। मेरे लिए ‘मदिरा’ शब्द गंदा नहीं है। भारत में हमें अपनी मनोवृत्ति बदलने की आवश्यकता है, ताकि हम अंतरराष्ट्रीय दिग्गजों के बीच कामयाबी हासिल कर सकें।

विजय माल्या की कंपनी ‘यूनाइटेड स्पिरिट’ 10 करोड़ डॉलर की बिक्री के साथ ही विश्व की सबसे बड़ी मादक द्रव्य वाली कंपनी बनने जा रही है। पिछले वर्ष यह पहले ही दुनिया में नं. 2 घोषित हो चुकी है। नं. 1 पर 11.1 करोड़ डॉलर

विक्रय के साथ डिएगो है। किंतु पिछले समय डिएगो की वृद्धि 2 प्रतिशत रही, जबकि यू.एस.एल. 14 प्रतिशत पर रही। अत: वर्ष 2010 या 2011 में यू.एस.एल. के नं. 1 हो जाने की संभावना है।

मेरे विचार से यह भारतीय उद्यमिता का एक बहुत अच्छा उदाहरण है। पिता की 39 वर्ष की आयु में अचानक मृत्यु हो जाने पर विजय कंपनी से जुड़े। उन्होंने अपने पिता से काफी कुछ सीखा और एक स्वप्नद्रष्टा की तरह अपनी कंपनी को उद्यमिता के रास्ते पर लेकर चलते रहे। उनके पिता कोलकाता से बंगलुरु आकर बस गए थे। उनके पिता ने उन्हें यह कहकर प्रेरित किया कि सफलता सर्वाधिक चुनौतीपूर्ण वातावरण में ही संभव है, अर्थात् मद्य के व्यवसाय में राजनीतिज्ञों की दकियानूसी बातें। अकेले पैसे से ही सबकुछ नहीं हो जाता हमें सफलता का परिवेश निर्मित करना होता है, जो कि उनके पिता ने 'एम. एंड ए.' के माध्यम से किया। विजय ने एक अच्छे नेतृत्व की बातें इस युक्ति से सीखीं—"सुनकर सीखो, मनन करके समझो, अर्थात् मैनेजमेंट बाई वॉकिंग अराउंड (एम.डब्ल्यू.ए.)।"

कंपनी का कार्यभार सँभालने से पूर्व विजय अपने पिता से यह सीख चुके थे कि प्रतिबंध से कोई काम नहीं बनता। अत: उन्होंने शॉ वैलेस, मैकडॉवल्स, हर्बर्टसन्स, व्हाइट एंड मैकी को अर्जित कर साहस का परिचय दिया। जब किसी परिवार द्वारा संचालित कंपनी का बड़े कॉरपोरेशनों से होड़ करने में आत्मविश्वास डगमगा जाए तो ऐसे समय एम. एंड ए. ही संसार की प्रवृत्ति है। ज्यादा-से-ज्यादा एम. एंड ए. के लिए यू.एस.एल. भारत में बहुत से शराब निर्माताओं के संपर्क में बनी हुई है। विजय ने भविष्यवाणी की है कि अगले 10 करोड़ डॉलर के लक्ष्य हेतु उन्हें पाँच साल लगेंगे और तीसरे 10 करोड़ डॉलर की लक्ष्य-प्राप्ति के लिए चार वर्ष लगेंगे। हमारी आधारभूत संपन्नता से यदि ज्यादा नहीं तो इतना संभव हो सकता है।

❑

विलियम बिसेल

"फैब इंडिया कोई पारंपरिक उद्यमी व्यवसाय नहीं है, क्योंकि यह दस्तकारी व्यवसाय से जुड़े लगभग 40,000 लोगों को प्रोत्साहित कर रहा है और भारत के सर्वोत्तम जाने-पहचाने ब्रांडो में एक है।"

विलियम नंदा बिसेल ने 'मेकिंग इंडिया वर्क' शीर्षक से 238 पेज की एक पुस्तक लिखी है, जो कि मणिशंकर अय्यर के अनुसार संपूर्ण सरकारी सहयोग से संपूर्ण विकास अर्जित करने का एक व्यावहारिक मार्गदर्शन है। मेरे विचार से, दस्तकारी–आधारित विपणन संगठनों के निर्माण में वह दूसरे वर्गीज कुरियन हैं। फैब इंडिया की स्थापना जॉन बिसेल नामक 1960 के दशक के एक अमेरिकी दूरद्रष्टा ने 38,000 डॉलर की पूँजी से की थी। वह फोर्ड फाउंडेशन के लिए उभरते सूती वस्त्र उद्योग में भारत की निर्यात शक्ति में वृद्धि करने के उद्देश्य से भारत आए थे। अब उनके बेटे विलियम अपने उद्यमी दृष्टिकोण एवं प्रयासों से इसे एक नई ऊँचाई पर ले जा रहे हैं। 19 जून, 2009 को 'फोर्ब्स इंडिया' में विलियम ने

'नोट्स ऑन काउबॉय बिजनेसमैन एंड इनक्लूसिव कैपिटलिज्म' के विषय में बातें कीं। काउबॉय बिजनेसमैन से उनका अभिप्राय है कि थोक व्यापारी एवं फुटकर व्यापारी उनके आपूर्तिकर्ता को इस सीमा तक निचोड़ लेते हैं कि दस्तकार जैसे आपूर्तिकर्ता अपनी स्थिति सुधारने के लिए पर्याप्त न उठा सकें और जीविकोपार्जन के स्तर पर बने रहें। साधारण शब्दों में, समाहित पूँजीवाद वह है, जिसमें 'लाभ' शब्द किसी के लिए भी नकारात्मक न हो और प्रत्येक को वर्षों की मेहनत व लगन के आधार पर बढ़ने का अवसर मिल सके। फैब इंडिया में कारीगर अन्य सभी के साथ अंशधारी होते हैं। ये 95 प्रतिशत ऐसी आपूर्ति शृंखला के लिए उत्तरदायी हैं, जिसमें देश भर के लगभग 40,000 लोग शामिल हैं। फैब इंडिया की 17 कंपनियाँ हैं, जिनके माध्यम से 300 करोड़ का व्यवसाय संपन्न होता है। उन्होंने भारत में फैब इंडिया के आपूर्तिकर्ताओं के हितार्थ सप्लायर्स रीजन कंपनीज (एस.आर.सी.) प्रारंभ की है। ये दस्तकार आपूर्तिकर्ता सामुदायिक स्वामित्व कंपनी के अंशधारी हैं। उन्हें फैब इंडिया से उनके दस्तकारी के कार्यों के सुनिश्चित ऑर्डर एवं उनके विपणन की सुविधा प्राप्त होती है। इसके अतिरिक्त उन्हें अपने एस.आर.सी., जिसमें कई व्यवसायी सम्मिलित हैं, से अनेक इनपुट प्राप्त होते हैं। यह दस्तकारी समृद्ध क्षेत्रों में इसके क्रिया-कलापों के कारण देश भर में धीमी एवं स्थिर क्रांति है। गरीब बुनकरों को अगले दशक में उद्यमी बनने का अवसर देने के कारण बिसेल को हजारों लोगों के साथ मेरा भी आशीष मिला है।

❑

Justdial™

India's No.1 local search engine

वी.एस.एस. मानी

"दायरे से बढ़कर सोचना तभी कारगर होता है, जब अपनी जीवन यात्रा के दौरान अपने दायरे में आप बहुत से विचारों को रखते हैं।"

मानी अब मनी (पैसे) का पर्याय बन चुके हैं। उन्होंने 50,000 रुपए से अपना व्यवसाय प्रारंभ किया और आज उनकी कंपनी 'जस्ट डायल' 500 करोड़ रुपए की हैसियत रखती है। उन्होंने वर्ष 1996 में अपनी कंपनी शुरू की और अब आगामी वर्षों में अंग्रेजी बोलनेवाले व दुनिया पर फतह करने वह अमेरिका की ओर रुख कर रहे हैं। उम्र भी अनुकूल है, क्योंकि उन्होंने अभी मात्र 45 वर्ष पूरे किए हैं। उनकी कंपनी में प्रतिदिन 2,40,000 फोन कॉल्स आते हैं। उनकी वेबसाइट पर 5 लाख लोग लॉग ऑन करते हैं। भारत के 240 शहरों में मेरे समेत 2.5 करोड़ लोग इस वेबसाइट का प्रयोग करते हैं। 6-999-99-99 पर डॉयल कर प्रमोद बत्रा, विजय बत्रा से संपर्क कीजिए और आप माँगी गई जानकारी (आँकड़े) के जवाब में मुफ्त एस.एम.एस. प्राप्त करेंगे। आप यह जानकारी (आँकड़े) पहले दिल्ली डायरेक्ट्री

(मुद्रित) या अन्य उत्कृष्ट प्रकाशनों में 197 पर प्राप्त करते थे। वे अपना व्यवसाय देश भर में 1,25,000 वर्गफुट क्षेत्रफल में फैली फीट संरचना से संचालित करते हैं। उनकी आय 150 करोड़ रुपए से अधिक है। उनकी कंपनी में 4,000 कर्मचारी हैं। कंपनी का यू.एस.ए. नंबर है—1800 जस्ट डायल। मान गए न!

हेनरी फोर्ड की तर्ज पर सफलता पाने के पूर्व मानी तीन बार असफल रहे। किसी भी उद्यमी की असफलता उसे हार्वर्ड या अहमदाबाद जैसे प्रसिद्ध संस्थानों से बढ़कर सीख देती है। कोलकाता में पले-बढ़े मानी तमिल ब्राह्मण हैं। उनका मानना है कि हम भारतीय सुस्त किस्म के लोग हैं। हमें जो जानकारी चाहिए उसके लिए हम प्रयास नहीं करेंगे, बल्कि मित्रों एवं रिश्तेदारों से पूछते रहेंगे।

जस्ट डॉयल उत्पादों, सेवाओं एवं व्यवसाय का कारोबार करती है और इसकी यू.एस.पी. ऐसे व्यक्ति के अनुकूल होती है, जिसे व्यवसाय में विक्रय में लगे व्यक्ति की जानकारी की आवश्यकता होती है। आपके दायरे में लाखों युक्तियाँ (विचार) होनी चाहिए, क्योंकि जीवन में यह कोई नहीं जानता कि कौन सी युक्ति (विचार) कारगर साबित होगी।

''अतिरिक्त पूँजी व्यय की आवश्यकता नहीं होगी। हमें यहाँ (भारत में) रात्रि के दौरान सेवाओं की जरूरत होगी, जब वह सुविधा व्यर्थ (बिना प्रयोग के) पड़ी रहती है।''—वी.एस.एस. मानी

आपके लिए उनका सुझाव है—''जहाँ हैं वहीं बने रहिए। हार मत मानिए और वित्तीय अनुशासन कायम रखिए।'' उनके विचारों को भारत में सफलतापूर्वक इतनी अच्छी तरह आजमाया और परखा गया है कि बहुत से विदेशी पूँजीपतियों ने उनकी कंपनी में 150 करोड़ रुपए निवेश किए हैं। मेरे अनुसंधान के मुताबिक सभी उद्यमियों में उनका स्थान प्रथम है। यह मेरी व्यक्तिगत राय है।

❑

DAAWAT

वी.के. अरोड़ा, अशोक अरोड़ा, सुरिंदर अरोड़ा एवं अश्विनी अरोड़ा

"दुनिया के सुविधाजनक भोजन की ओर बढ़ने की स्थिति में अंतरराष्ट्रीय राइस फूड्स कंपनी होने हेतु 'पकाने के लिए तैयार' और 'खाने के लिए तैयार' चावल की स्वीकार्यता बढ़ रही है। इस प्रवृत्ति ने ऐसे उत्पादों के लिए भारी बाजार का निर्माण किया है।"

प्रोफेसर सी.के. प्रह्लाद की केंद्रीय सक्षमता की प्रबंध धारणा कौशलों के एक समूह का प्रतिनिधित्व करती है। ये कौशल उद्योग में विस्तृत रूप से उपलब्ध नहीं हैं। इसी प्रबंध धारणा को वी.के. अरोड़ा ने अपने पारिवारिक व्यवसाय में तब कार्यान्वित किया, जब वे सन् 1970 में इसमें शामिल हुए। इसके पूर्व यह कमिशनिंग एजेंट व साझेदारी प्रतिष्ठान था। सी.के. प्रह्लाद ने भविष्य के लिए प्रतियोगिता करने की धारणा को अनश्वर किया और यहीं वी.के. अरोड़ा, जो कि एडमिनिस्ट्रेटिव कॉलेज, हैदराबाद के छात्र रहे हैं, ने शीघ्र ही चावल की अपनी केंद्रीय सक्षमता (कोर कॉम्पिटेन्सी) के विषय में अंतरराष्ट्रीय दृष्टिकोण विकसित किया। सौभाग्यवश, प्रमुख चावल विशेषज्ञों को अनुमति दिए जाने के

सरकारी निर्णय ने उन्हें सोनीपत (हरियाणा), अमृतसर और भोपाल में स्टेट ऑफ दि आर्ट राइस प्रोसेसिंग प्लांट स्थापित करने के लिए प्रोत्साहित किया।

अनेक भारतीय उद्यमी महसूस करते हैं कि 'आसमान ऊँचाई की हद नहीं है' और तदनुसार भविष्य की योजनाएँ बनाना और उनका निष्पादन प्रारंभ कर देते हैं। सफल कंपनियाँ इसलिए सफल बनती हैं, क्योंकि उन्हें अपने रास्ते की समस्याओं के समाधान के बेहतर तरीके उपलब्ध हो जाते हैं। यही वजह है कि भारतीय उद्यमियों को 'जे.यू.जी.ए.ए.डी.आई.' की उपाधि से विभूषित किया जाता है। उन्हें अपने कारोबारवाले बाजार में नियंत्रण करने के अजेय तरीके हासिल हो जाते हैं।

आज वी.के. अरोड़ा की कंपनी एल.टी. फूड्स 1,000 करोड़ रुपए की हैसियतवाली कंपनी बन चुकी है और शीघ्र ही यह 1,500 करोड़ रुपए की सीमा को लाँघकर लगभग 45 देशों में अपने अंतरराष्ट्रीय पद-चिह्न अंकित करने की दिशा में आगे बढ़ रही है। इसने अंतरराष्ट्रीय स्तर पर बासमती चावल को प्रस्तुत किया, जो कि अपने आप में एक कठिन कार्य था।

इसके 'दावत' बासमती राइस ब्रांड को सन् 1986 में तब बाजार में लाया गया, जब बाजार निम्न व बेमेल गुणवत्तावाले उत्पादों से अटा था। वी.के. के 'दावत' ब्रांड से फुटकर, अंतरराष्ट्रीय और मितव्ययी तबकों की जरूरतों की अच्छी पूर्ति होती है। इसके 19 ब्रांड हैं। आज एक महान् कॉरपोरेट सिटिजन बनने के लिए कोई भी कंपनी एक ऐसा क्षेत्र चुनती है, जहाँ यह समाज को अपनी सफलता के लिए धन्यवाद देने का योगदान दे सके। इसके कर्मक्षेत्र के अंतर्गत स्वाभाविक रूप से वे किसान आते हैं, जिन्हें यह कृषि एवं संबंधित क्रिया-कलापों पर शिक्षा और तकनीकी ज्ञान उपलब्ध कराती है।

❑

BANSAL CLASSES
PRIVATE LIMITED
Ideal for Scholars

वी.के. बंसल

"तुम्हें जो भी करना पसंद है, उसे सभी फायदों और जोखिम के साथ करने की स्वतंत्रता उद्यमिता है।"

प्रायः उद्यमिता ऐसी दुर्घटनाओं का परिणाम होती है, जो कभी-कभी आशा की किरण के साथ आती हैं, बशर्तें संबंधित व्यक्ति का दृष्टिकोण सकारात्मक हो। मैं यहाँ मोहनीश पबराई (ई-73) के लेख का हवाला देते हुए उनके दक्षिणा फाउंडेशन की वार्षिक रिपोर्ट 2007 के अंशों का उद्धरण प्रस्तुत करना चाहूँगा।

''लगभग दो दशक पूर्व आई.आई.टी., जे.ई.ई. प्रशिक्षण की राह नाटकीय ढंग से एक व्यक्ति, विनोद कुमार बंसल के लाईलाज पेशीय डिस्ट्रॉफी बीमारी की शुरुआत के साथ प्रभावित हुई। बंसल कोटा (राजस्थान) में एक केमिकल प्लांट में कार्यरत प्रतिभावान् इंजीनियर थे। समय के अंतराल में अपनी इस बीमारी से वे दोनों पैरों से बेकार (चेतनाशून्य) होकर व्हील चेयर के मोहताज़ हो गए। बंसल जानते थे कि दीर्घकाल में इस बीमारी के कारण उनका कॅरियर बुरी तरह सीमित हो जाएगा। उन्होंने महसूस किया कि अध्यापन के प्रति उनमें काफी उत्साह है और उन्होंने 1981 में घर में ही प्राइवेट ट्यूशन शुरू कर दी। 1985 में उनके द्वारा आई.आई.टी.—जे.ई.ई. उत्तीर्ण किया और 1990 तक यह संख्या 10 हो गई। बंसल ने केमिकल प्लांट की नौकरी से इस्तीफा दे दिया और पूर्णकालिक तौर पर अपने बंसल क्लासेस पर ध्यान केंद्रित किया। 1999 तक वह लगभग अपने 2000

छात्रों को आई.आई.टी. भेजने लगे। उन्होंने एक बेहतरीन आई.आई.टी.—जे.ई.ई. फैकल्टी को भरती कर उसे प्रशिक्षित किया। उनके लगभग सभी फैकल्टी संपूर्ण भारत से कोटा (राजस्थान) बुलाए जाते थे। उनमें से कई स्वयं आई.आई.टी. उत्तीर्ण थे।''

अब बंसल और कोटा के विषय में ज्यादा जानकारी हासिल करने के लिए www.dakshina.org पर लॉग ऑन करके 13 पेज पढ़िए। पबराई को बंसल एवं सुपर-30 के आनंद कुमार से प्रेरणा प्राप्त हुई। यदि आप व्यावसायिक परोपकार के विषय में ज्यादा कुछ जानना चाहते हैं, तो इस रिपोर्ट को पढ़िए, जिसमें आप जानेंगे कि किस तरह वारेन बेफेर ने पबराई को समाज को लौटाना सिखाया। पबराई कॉपीकैटिंग में विश्वास करते हैं। यदि इस प्लानर में आपको बंसल, आनंद कुमार, पबराई बफेट की कहानियों समेत अन्य कहानी से प्रेरणा नहीं मिलती, तो आपको कुछ भी प्रेरित नहीं कर सकता।

❑

वी.जी. सिद्धार्थ

"पहली पीढ़ी के कैफे कॉफी डे श्रृंखला उद्यमी का बड़ा सपना वर्ष 2018 तक दुनिया की सर्वापरि तीन कॉफी श्रृंखला में अपना स्थान बनाने का है।"

'स्टारबक्स' द्वारा 16,000 से अधिक कैफे संचालित किए जाते हैं। इसी तरह डनकिन डाट्स द्वारा 8,800, टिम हार्टन द्वारा 3,500 और सिद्धार्थ द्वारा संपूर्ण भारत में 1,000 कैफे कॉफी डे चलाए जा रहे हैं। उन्होंने अपना पहला कैफे वर्ष 1996 में बेंगलुरु में शुरू किया। अपना निर्धारित लक्ष्य प्राप्त करने पर वे अमेरिका व यूरोप के बाहर इस व्यवसाय के प्रथम उद्यमी हो जाएँगे। मेरी नजर में तो एक 50 वर्षीय उद्यमी के लिए यह सफलता का एक श्रेष्ठ उदाहरण है। उनके पिता चिकमंगलूर में 10,000 एकड़ कॉफी प्लांट के मालिक हैं। वे उनकी इकलौती संतान एवं विदेश मंत्री एस.एम. कृष्णा के दामाद हैं। उन्होंने व्यावसायिक स्तर पर मिले अनेक प्रलोभनों को स्पष्ट इंनकार कर दिया है, जिससे मेरी नजरों में उनका व्यावसायिक सम्मान और बढ़ जाता है। सौभाग्यवश, हमारे देश में यह बात एक

स्वस्थ प्रवृत्ति के रूप में उभर रही है कि सफल उद्यमियों की संतानें स्वयं के बलबूते पर अपनी लक्ष्य-प्राप्ति के प्रति गंभीर हो रही हैं। उनमें से ज्यादातर प्रलोभन स्वीकार करने के बदले उद्यमों में अपनी योग्यता में वृद्धि करके अपने हुनर को साबित करने में विश्वास रखते हैं।

उनके द्वारा संचालित 1,000 कैफे कॉफी डे के अलावा उनके पास 1,000 स्टॉल और 15,000 विक्रय मशीनें हैं। साथ ही वे 300 से अधिक विक्रय मशीनों का प्रतिदिन की दर से उत्पादन कर रहे हैं। उनके संस्थानों द्वारा प्रतिदिन 10,00,000 ग्राहकों की सेवा की जाती है। अगली बार जब आप उनके कैफे में जाएँ तो जरा उनके उद्यम में सफलता के विषय में सोचिए। आप स्वयं को प्रोत्साहित एवं प्रेरित महसूस करेंगे। मत भूलिए कि उन्होंने सन् 1996 में अपना पहला कैफे प्रारंभ किया था। वाह, क्या बात है! किंतु उन्होंने कभी भी यह महसूस नहीं किया कि वर्ष 2010 तक वे सफलता की इस ऊँचाई पर पहुँच सकते हैं। यही तो उद्यमिता की खूबी है। उनकी ताकत उनकी कंपनी में है। एमलगैमेटेड बीन कॉफी ट्रेडिंग की आमदनी 850 करोड़ रुपए है। बौद्धिक वर्ग के अमेरिकियों के बीच एक कहावत प्रचलित है—'आपके लिए प्रथम 10 लाख की राशि कमाना कठिन है, लेकिन इसके बाद तो ये छप्पर फाड़कर मिलते हैं।' सिद्धार्थ अनेक व्यवसायों में लगे हुए हैं, जैसे—होटल्स एंड रिसॉर्ट्स, ताजा-पिसी हुई कॉफी का फुटकर व्यवसाय, पेय स्टॉलों के माध्यम से फास्ट-फूड, कॉफी निर्यात, अचल संपत्ति, वित्तीय व्यापार, फर्नीचर इत्यादि । उन्होंने सीधे तौर पर अपने पिता के व्यवसाय को अपनाने के बदले महेंद्र कंपनी (अब जे.एम. फाइनेंशियल) के नेतृत्व में व्यापारिक कारोबार सीखकर बुद्धिमानी का परिचय दिया।

❑

शरद बाबू—फूड किंग

"चेन्नई की झुग्गी-झोंपड़ियों में उद्यमी बेचने से लेकर पेप्सी एम.टी.वी. यूथ आइकन 2008 तक।"

आज भारत में बदहाली से समृद्धिशालीवाली कहानियों की कमी नहीं है। किंतु इस कहानी को मैं अपने पाठकों को इसलिए सुनाना चाहता हूँ कि यह एक बेटे के द्वारा अपनी माँ के सपनों को जीने की मिसाल पेश करती है। एक ऐसी माँ, जिसने स्वयं और स्वयं के पाँच बच्चों के लिए अपना सर्वोत्तम प्रयास करने का निर्णय लिया। उसने चेन्नई के पैदल पथ पर इडली बेची और बतौर आया काम भी किया। इससे उसके बेटे शरद बाबू को अपनी माँ के लिए वह सब करने का बल मिला, जो वह कर सकता था।

चेन्नई की गंदी बस्तियों से वह बी.आई.टी.एस., पिलानी, राजस्थान और फिर आई.आई.एम. तक पहुँचे और अब फूड किंग कैटरिंग व्यवसाय के प्रमोटर हैं, जिसकी शुरुआत उन्होंने मात्र 2,000 रुपए से की थी। आज वह 9 करोड़ रुपए के टर्नओवर के साथ 6 स्थानों पर अपने फूड व्यवसाय का संचालन करता है। स्मरण रहे कि आँकड़ों से बढ़कर उद्यमीय विचार की सफलता वह होती है, जो हर किसी को प्रेरणा देती है, जो शायद हमारे अपने ही मैकडोनॉल्ड या के.एफ.सी.

बनने की राह पर हैं, क्यों नहीं?

जब आप शरद बाबू की तरह कामयाब होते हैं तो आपको दुनिया को बताने की जरूरत नहीं होती, दुनिया स्वयं इसे देख लेती है। तदनुसार उसे बी.आई.टी.एस., पिलानी द्वारा छात्रों से इंटरप्रिन्योरशिप—ए मिशन विद पैशन, पर बात करने के लिए आमंत्रित किया गया। जैसे तसवीर की एक झलक ही उसके वर्णन में प्रयुक्त हजार शब्दों से बढ़कर होती है, वैसा ही असर उद्यमिता पर एक ऐसे उद्यमी से बात करने का होता है, जिसने उद्यमिता की शुरुआत चेन्नई के झुग्गी-झोंपड़ों से की। मुझे यकीन है कि अगले 20 से 30 वर्षों में ऐसी चर्चा से अनेक शरद बाबू जन्म लेंगे।

अब तक उन्होंने लगभग 3.5 लाख छात्र और झुग्गी-झोंपड़ी के बच्चों को संबोधित किया है। उनकी टीम में 1,500 स्वयंसेवी एवं शुभाकांक्षी हैं, जिनमें आई.आई.एम.-ए.के. 10 कक्षा सहपाठी भी हैं। हम लोगों से संपर्क में आने के लिए बहु-स्तरीय मार्केटिंग जैसी मार्केटिंग अवधारणाओं का प्रयोग कर रहे हैं। इसमें लोगों से सीधे तौर पर चर्चा करना और अपने संदेशों का प्रचार कार्य भी सम्मिलित है। इस तरह हम कम समय में अपेक्षाकृत अधिक लोगों से तथा अपेक्षाकृत कम खर्च में पहुँच बना लेते हैं।

❑

शांतनु प्रकाश

“एडुकॉम्प द्वारा शिक्षा के प्रत्येक क्षेत्र में नियमन के झंझटों में फँसे बगैर अवसर तलाशे गए हैं।”

“यदि अस्पताल जैसे सेवा क्षेत्र निजी तौर पर अस्तित्वान् होकर लाभ कमा सकते हैं तो शिक्षा क्यों नहीं।”— *शांतनु प्रकाश।*

मैं उनसे पूरी तरह सहमत हूँ, क्योंकि लाभ अवसर का शब्द है, न कि बुरा शब्द। बशर्ते यह वैधानिक रूप से ग्राहकों को पैसे का मूल्य देकर कमाया जाए।

आज टी.वी. पर शांतनु के विज्ञापन बड़े आकर्षक लगते हैं। इनमें कक्षा में जब शिक्षक के ब्लैक बोर्ड पर लिखने के दौरान छात्रों को ऊँघते हुए दिखाया जाता है, तभी उनके आई.टी. के दखल से छात्र पढ़ाई की ओर एकाग्रचित्त हो जाते हैं। शिक्षा के श्रव्य-दृश्य विज्ञापनों से शिक्षा अपेक्षाकृत अधिक रुचिकर हुई है। शांतनु आई.आई.एम.ए. स्नातक हैं और आई.टी. के माध्यम से व्याख्याकार के रूप में शिक्षा से जुड़े हैं। उन्होंने हमारे विद्यालयों में एक व्यावसायिक जरूरत पर मनन कर एक प्रवर्तनकारी तरीके की युक्ति ईजाद की। इसके तहत विद्यालय मॉडल बनाने, चलाने और स्थानांतरण से आई.टी. पर किए गए उनके निवेश पर लाभ पा

सकते हैं। उनकी प्रारंभिक यात्रा किसी भी अन्य उद्यमी की तरह कठिनाइयों भरी थी; लेकिन जब आप में उत्साह उमड़ पड़े और आप लगातार सोच-विचार, पूछताछ एवं अपना काम करते हुए अपनी शुरुआत करते हैं तो आपको अँधरे में भी आशा की किरण नजर आती है।

आज शांतनु 25,000 विद्यालयों के संचालक हैं, जहाँ 1.4 करोड़ न शिक्षार्थी एवं शिक्षक हैं। यह वास्तव में इस बात को दृष्टिगत रखते हुए एक आश्चर्यजनक उपलब्धि है कि उन्होंने एक-एक करके विभिन्न स्कूलों में कंप्यूटर साक्षरता लैब स्थापित कीं। इस कार्य की शुरुआत उन्होंने मात्र 1 लाख रुपए की लागत से की। आज उनका 637 करोड़ रुपए का व्यवसाय है। भारत और अन्य देशों में उनके 27 कार्यालय हैं।

भारत सरकार द्वारा शिक्षा का अत्यधिक नियमन किया जाता है; लेकिन भारतीय उद्यमियों के रूप में हम यहाँ-वहाँ घूमकर तथा अवसर की तलाश करके उन्हें लाभकारी व्यवसाय में परिवर्तित करने में काफी प्रवर्तनकारी हैं। शांतनु अब रैफल्स एजुकेशन एवं पियर्सन के साथ संयुक्त व्यवसाय में प्रवेश करने जा रहे हैं। उन्होंने विभिन्न ब्रांड के अंतर्गत के-12 स्थापित किए हैं। जीवन में पहला कदम उठाना ही कठिन व चुनौतियों से भरा होता है; लेकिन जब आप सुशिक्षित (आई.आई.एम.-ए) हैं तो चुनौतियाँ आपके ज्ञान एवं बुद्धि के दायरे को बढ़ाती हैं। 'फोर्ब्स इंडिया' की 100 सर्वाधिक धनी भारतीयों की सूची में उनका नाम 57वें स्थान पर है।

❑

TEACHFORINDIA
www.teachforindia.org

शाहीन मिस्त्री

शाहीन मिस्त्री ने एक छोटे से कमरे में 15 बच्चों को लेकर शिक्षा यात्रा शुरू की। यह मामूली सी शुरुआत आज बढ़ते हुए 6 विद्यालयों के 58 केंद्रों के माध्यम से 3,500 बच्चों को शिक्षित कर रही हैं। वास्तव में शाहीन मिस्त्री युवाओं का भविष्य उज्ज्वल बनाने हेतु उन्हें निरंतर प्रेरित कर रही हैं।

शाहीन मिस्त्री का जन्म मुंबई के एक संभ्रांत परिवार में हुआ। दूसरा जन्मदिन आने से पूर्व ही उनका परिवार लेबनान चला गया। तीन वर्ष तक वे बेरुत में रहे। जब युद्ध शुरू हो गया तो उनका परिवार छुट्टियाँ मनाने ग्रीस चला गया और फिर वहीं का होकर रह गया।

शाहीन की स्कूली शिक्षा ग्रीस में ही शुरू हुई, फिर वे जकार्ता, इंडोनेशिया आ गईं। यहाँ उन्होंने लगभग 10 भिन्न-भिन्न स्कूलों में फ्रांसीसी स्कूल प्रणाली का अध्ययन किया, फिर अंततः वे अमेरिकन अंग्रेजी प्रणाली से पढ़ते हुए अंतरराष्ट्रीय स्कूल प्रणाली में आ गईं।

जब शाहीन का परिवार यू.एस. चला आया तो उन्होंने कनेक्टीकट के एक निजी स्कूल 'ग्रीनविच एकेडमी' में प्रवेश ले लिया। यहाँ से हाईस्कूल करने के बाद उन्होंने टफ्ट्स यूनिवर्सिटी में प्रवेश लिया।

टफ्ट्स यूनिवर्सिटी के द्वितीय वर्ष में अध्ययन के दौरान जब शाहीन की आयु लगभग 18 वर्ष थी तो ग्रीष्मावकाश में वे भारत आईं। यद्यपि वे स्वयं को भारतीय महसूस नहीं करती थीं, तथापि भारत के विषय में जानने के लिए बहुत उत्सुक थीं। अमेरिका की आभिजात्य उपशहरी जीवन-शैली और भारत के गली-

कूचों की व्याप्त गरीबी के बीच भारी अंतर का शाहीन के मन-मस्तिष्क पर गहरा प्रभाव पड़ा। उन्होंने भारत में रहकर ही इसमें कुछ सुधार लाने को निर्णय लिया। इसके लिए उन्होंने सेंट जेवियर्स कॉलेज में प्रवेश लेकर अपने लक्ष्य पर ध्यान केंद्रित करने का निश्चय किया।

एक मित्र के साथ शाहीन ने निकट की मलिन बस्ती के आस-पास घूमकर निरीक्षण किया और महसूस किया कि यहाँ की सबसे बड़ी आवश्यकता यहाँ की अशिक्षा दूर करना है। उन्होंने विचार किया कि यदि यहाँ की अशिक्षा दूर हो जाए तो निश्चय ही उन लोगों के जीवन-स्तर में पर्याप्त परिवर्तन लाया जा सकता है।

मलिन बस्ती में शाहीन की भेंट संध्या नाम की एक लड़की से हुई। जो बाद में प्रगाढ़ मेल-जोल में बदल गई। इसी संध्या के घर में शाहीन ने कुछ बच्चों को पढ़ाने का कार्य आरंभ किया। इसी समय उनके दिमाग में विचार आया कि क्यों न एक ऐसा स्थान तलाशा जाए, जहाँ बच्चे प्रतिदिन शाम को पढ़ने आ सकें। इस बारे में शाहीन ने लगभग 20 स्कूलों के संचालकों से बात की, किंतु कोई भी सहयोग के लिए तैयार न हुआ। अंतत: 21वाँ स्कूल 'होली नेम हाई स्कूल' शाहीन को सहयोग देने के लिए सहमत हुआ। अब बच्चों को पढ़ाने के लिए स्वयंसेवियों की आवश्यकता थी। शाहीन ने इसके लिए सबसे पहले सेंट जेवियर्स के अपने सहपाठियों का सहयोग लिया।

औपचारिक रूप से शाहीन की शिक्षण संस्था 'आकांक्षा' सन् 1991 में अस्तित्व आई और 'होली नेम हाई स्कूल' पहला 'आकांक्षा' केंद्र बना। इसकी शुरुआत बहुत धीमी हुई, किंतु आगे यह बड़ी तेजी से बढ़ा। 15 छात्रों की एकमात्र कक्षा से प्रारंभ 'आकांक्षा' 1998 तक 8 केंद्रों में बढ़ गया, जहाँ 480 बच्चे अध्ययनरत थे और 2002 में 'आकांक्षा' का कार्य पुणे में भी प्रारंभ हो गया।

'आकांक्षा' के 6 विद्यालयों के 58 केंद्रों में लगभग 3,500 बच्चे शिक्षा प्राप्त कर रहे हैं। स्पष्टत: यह अभी कोई बहुत बड़ी संस्था नहीं है, लेकिन गुणवत्ता और बच्चों के साथ कार्यशैली के आधार पर वास्तव में यह एक महत्त्वपूर्ण संस्था है।

शाहीन मिस्त्री ने अपनी सफलता की पटकथा स्वयं लिखी, अपनी भूमिका स्वयं अदा की और उत्साह एवं उमंग के साथ स्वयं अभिव्यक्त की।

❑

HCL

शिव नादर

"यदि आप लोगों को सशक्त करना चाहते हैं, तो उन्हें औजार दीजिए। इस देश में शेष अन्य का ध्यान रखने के लिए पर्याप्त उद्यमिता है।"

'फोर्ब्स एशिया' द्वारा उन्हें परोपकार के 48 नायकों के बीच चार भारतीयों में से एक का सम्मान दिया गया है। उन्होंने उनकी परोपकारिता के विषय में लिखा है—

"अपने पिता के नाम पर वर्ष 1994 में एस.एस.एन. ट्रस्ट की शुरुआत की। इसकी 3 करोड़ डॉलर राशि का प्रयोग मुख्यत: एस.एन.एन. संस्थाओं को कोष की व्यवस्था करने के लिए किया जाता है, जिनका उद्देश्य प्रतिवर्ष 10 लाख डॉलर छात्रवृत्ति के साथ वहनीय उच्च शिक्षा उपलब्ध कराना है। दक्षिण भारत में 250 एकड़ के परिसर में इंजीनियरिंग कॉलेज एवं सॉफ्टवेयर इंजीनियरिंग स्कूल (कार्नेजी मेलन यूनिवर्सिटी के सहयोग से) सम्मिलित हैं। हाल ही में उन्होंने उत्तर भारत में 290 एकड़ परिसर बनाने एवं उत्तर प्रदेश सरकार के सहयोग से आठ पब्लिक सेकंडरी स्कूलों की स्थापना के लिए 'शिव नादर फाउंडेशन' स्थापित किया है।"

—स्रोत : फोर्ब्स एशियन मैगजीन, 16 मार्च, 2009

नादर को कई पुरस्कार प्राप्त हुए हैं, जिनमें पद्मभूषण सम्मान (2008), सी.एन.बी.सी. बिजनेस एक्सीलेंस अवार्ड (2005), इंडिया टुडे (पॉवर लिस्ट 2005), अर्नेस्ट एंड यंग इंटरप्रिन्योर (2007) एवं कई अन्य।

ऐसे समय जब भारत के पास कुल 250 कंप्यूटर थे, शिव नादर एक ऐसी युवा टीम का नेतृत्व कर रहे थे, जो बड़े उत्साह से सूचना प्रौद्योगिकी उद्योग के विकास पर विश्वास करती थी। इस दृष्टिकोण का जन्म दिल्ली में वर्ष 1976 में हुआ, जिसके परिणामस्वरूप तीन दशकों के बाद 50 लाख डॉलर का अंतरराष्ट्रीय उपक्रम सामने आया। भारत का प्रथम पी.सी. और 1978 में उसके अंतरराष्ट्रीय जोड़ को डिजाइन करने से आज बोइंग ड्रीमलाइनर के फ्लाइट मैनेजमेंट सिस्टम पर कार्य करने तक एल.सी.एल. आधुनिक कंप्यूटिंग की एक सच्ची प्रणेता के रूप में टिकी रही। एच.सी.एल. में 50,000 पेशेवर कार्य कर रहे हैं, जिनकी भारत के 360 स्थानों के अलावा विश्व के 20 देशों में उपस्थिति विद्यमान है। एच.सी.एल. के व्यावसायिक क्षेत्र में आई.टी. हार्डवेयर निर्माण एवं वितरण, सिस्टम इंटिग्रेशन, टेक्नोलॉजी एंड सॉफ्टवेयर सर्विसेज, बिजनेस प्रोसेस आउटसोर्सिंग एवं अधोसंरचना प्रबंधन सम्मिलित है। आई.टी. उद्योग एवं उनकी बराबरी के दिग्गजों द्वारा भविष्यदर्शी के रूप में स्वीकार किए जानेवाले शिव नादर ने हमेशा भविष्य के प्रति अपने विश्वास के आधार पर साहसी कदम उठाए हैं।

❑

शिविंदर सिंह एवं मलविंदर सिंह

"भारतीय औषध उद्यमियों के प्रयास से हेल्थकेयर उद्योग नवप्रवर्तन अधिग्रहण, विस्तार एवं विश्वस्तर की तकनीकों के कारण तेजी से फल-फूल रहा है।"

मलविंदर एवं शिविंदर ने एस्कॉर्ट हृदय संस्थान, वाक हाईट हॉस्पिटल्स खरीदा और सिंगापुर के पार्कवे के साथ 24 प्रतिशत की साझेदारी कर ली। अपने इस कदम से आज वे दुनिया की चौथी सबसे बड़ी हेल्थकेयर कंपनी के मालिक हैं। उनका सपना सच्चे अर्थों में अंतरराष्ट्रीय हेल्थ केयर कंपनी का निर्माण करना है। रैनबैक्सी कंपनी के मालिक स्व. डॉ. पविंदर सिंह के बेटे यह कर दिखाएँगे। इन बंधुओं ने रैनबैक्सी को जापान की डालिची साक्यो को बेचने का निर्णय लिया। अपना सपना साकार करने की दिशा में यह दूसरा बड़ा निर्णय था—वित्तीय सेवा प्रतिष्ठान रेलिगेयर एंटरप्राइज के बोर्ड पर अपनी हैसियत को छोड़ देना और प्रबंधन की बागडोर पेशेवर व्यक्तियों को सौंप देना। आज वे 10,000 बिस्तरों की क्षमतावाले 60 अस्पतालों के मालिक हैं। 4,500 करोड़ रुपए टर्नओवर के साथ फोर्टिस निजी

क्षेत्र की शक्ति का अभिप्राय बन चुका है। फोर्टिस एशिया का सबसे बड़ा हॉस्पिटल नेटवर्क है। इन्हें अपनी सबसे बड़ी व्यावसायिक संतुष्टि तब मिली, जब एक गरीब के जन्मजात हृदय रोग का उपचार उन्होंने निःशुल्क तौर पर किया।

मैं एक प्रबंधन पेशेवर के रूप में प्रबंधन का अध्याय (चूँकि परिवार के बच्चों ने व्यवसाय सँभाला) इन भाइयों की उद्यमिता की कहानी में पाता हूँ। शिविंदर अपने पिता के व्यवसाय में शामिल होना नहीं चाहते थे। ऐसा प्रायः होता है, लेकिन बच्चों में स्वयं की ताकत पर ऐसा करने का साहस और दृढ़ निश्चय नहीं होता। परिणामस्वरूप उन्हें हार-थककर बेमन से ही सही, पारिवारिक व्यवसाय से जुड़ना पड़ता है, जिसके प्रायः भयंकर दुष्परिणाम सामने आते हैं। शिविंदर ने अपना कुछ समय इस बात को महसूस करने में बिताया कि उनकी क्या रुचियाँ हैं। वह इसी उधेड़बुन में थे कि उनके पिता के एक मित्र ने उन्हें हेल्थकेयर उद्योग प्रारंभ करने का सुझाव दिया और उन्होंने गंभीरतापूर्वक यह व्यवसाय शुरू कर दिया।

हमारी हेल्थकेयर लागत दर अमेरिकी दर का दसवाँ भाग है। ऐसा अनुमान है कि यातायात व्यय के साथ हमारे हेल्थकेयर की लागत अभी भी 60 प्रतिशत कम होगी। यह एक समूह (फोर्टिस) के लिए बड़े फायदे की बात तब है, जब सारे भारत एवं एशिया के कुछ हिस्सों में ऐसी सुविधाएँ बड़ी तादाद में उपलब्ध हैं। अमेरिकी हेल्थ-केयर प्रणाली में ओबामा द्वारा किए गए ऐतिहासिक सुधार फोर्टिज अस्पतालों की शृंखला के लिए वरदान सिद्ध हो सकते हैं। चूँकि अमेरिकी ग्राहक एवं बीमा व्यवसायी अपेक्षाकृत ज्यादा लागत-प्रभावी ठिकानों की ताक में रहते हैं, इसलिए ओबामा की इस पहल से भारत में औषध पर्यटन (मेडिकल टूरिज्म) को बढ़ावा मिल सकता है।

❑

hindustantimes

शोभना भरतिया

"मैं समय की बहुत पाबंद हूँ और दूसरों से भी यही अपेक्षा रखती हूँ, लेकिन आप वह सबकुछ नहीं कर सकते, इसलिए बेहतर यही है कि अपनी प्राथमिकताएँ तय कर ली जाएँ।"

हिंदुस्तान टाइम्स ग्रुप की चेयरपर्सन शोभना भरतिया का जन्म 4 जनवरी, 1957 को कोलकाता के सुप्रसिद्ध औद्योगिक घराने बिड़ला परिवार में हुआ था। उनका बिड़ला परिवार की परंपरा के अनुसार लालन-पालन हुआ और सभी सुख-सुविधाएँ मिलीं। अच्छे संस्कार और मूल्य शोभना को विरासत में मिले।

शोभना के पिता प्रतिष्ठित उद्योगपति के.के. बिड़ला के कई स्कूल थे, लेकिन उन्होंने अपनी पुत्रियों को बिड़ला समूह के स्कूलों में पढ़ाई के लिए सिर्फ इसलिए नहीं भेजा, क्योंकि वहाँ उन्हें विशेष रियायतें और सुविधाएँ मिलतीं। वे नहीं चाहते थे कि उनकी तीनों पुत्रियों को बिना परिश्रम के कुछ भी हासिल हो। वे उनका उज्ज्वल भविष्य चाहते थे, जो उन्होंने बैसाखियों के सहारे नहीं, बल्कि स्वयं सँवारा हो।

शोभना ने स्कूली शिक्षा टोनी लॉरेटो हाउस कॉन्वेंट स्कूल से प्राप्त की और बाद में लॉरेटो कॉलेज से ही ग्रेजुएशन की डिग्री भी ली। किसी भी मारवाड़ी परिवार की तरह ही बिड़ला परिवार में भी महिलाओं के लिए नौकरी करना अथवा अपने ही घरेलू कारोबार को सँभालने की अनुमति नहीं थी। लड़कियों को गृहस्थी ही सँभालनी है, यही सोच होने के कारण विवाह भी बहुत कम उम्र में कर दिए जाते थे। इसी कारण शोभना का विवाह भी 18 वर्ष की उम्र में एक संपन्न उद्योगपति श्यामसुंदर भरतिया से कर दिया गया। यहाँ शोभना ने 1976 में प्रियव्रत और 1979 में शामित नामक दो पुत्रों को जन्म दिया।

सन् 1986 में शोभना ने एच.टी. (हिंदुस्तान टाइम्स) मीडिया में डायरेक्टर की हैसियत से पहली बार प्रोफेशनल जिंदगी में कदम रखा। हालाँकि उन्हें यह पद विरासत में मिला था, फिर भी पारिवारिक कारोबार होने का अर्थ यह नहीं था कि उनके लिए हर रास्ता तय करना आसान था। उस समय एच.टी. की परंपरा को सँभालकर आगे ले जाना उनके सामने बड़ी चुनौती थी, जिसका निर्वाह उन्होंने बखूबी किया।

यदि नए सिरे से किसी उद्यम या संगठन की शुरुआत की जाए तो नया माहौल बनाने में और नई तकनीकों को लगाने में अधिक कठिनाई नहीं होती, लेकिन किसी स्थापित संस्थान में बदलाव करने में बहुत कठिनाई होती है। शायद यही कारण है कि एच.टी. में कंप्यूटर लाने में शोभना को 18 वर्ष का लंबा समय लग गया।

शोभना के नेतृत्व में एच.टी. ने दिन दूनी रात चौगुनी तरक्की की। जब उन्होंने एच.टी. की आंतरिक व्यवस्था का नवीनीकरण करना आरंभ कर दिया तो इस बदलाव के कारण इस अखबार का सर्कुलेशन भी दुगुना हो गया।

अगस्त 2005 में मुंबई संस्करण की लॉन्चिंग की गई। उसी दौरान शोभना एच.टी. समूह की 20 फीसदी इक्विटी हेंडरसन ग्लोबल (ऑस्ट्रेलिया की बैंकिंग, बीमा व पेंशन कंपनी) और सिटी ग्रुप को बेच दी। इस प्रकार एच.टी. विदेशी निवेश जुटानेवाला पहला प्रिंट मीडिया समूह बन गया।

हर भूमिका में निपुण राज्यसभा सदस्य शोभना को सन् 1989 में इंटरनेशनल कल्चरल ऑर्गेनाइजेशन द्वारा 'आई.सी.डी.ओ.—नेशनल अवॉर्ड फॉर डेवलेपमेंट' दिया गया। 1990 में 'महिला शिरोमणि' से तो 1991 में 'विजयश्री अवॉर्ड' से सम्मानित किया गया। 1999 में उन्हें 'प्रेस इंडिया' और 1993 में 'नेशनल यूनिटी अवॉर्ड' मिला। 2001 में उन्हें 'आउटस्टैंडिंग वूमैन ऑफ दि ईयर' दिया गया।

2005 में उन्हें पत्रकारिता में उल्लेखनीय योगदान के लिए 'पद्मश्री' सम्मान दिया गया।

शोभना अब ऐसी मीडिया शक्ति बन चुकी हैं, जिन्होंने बिना किसी अनुभव के इतने बड़े प्रकाशन समूह को न सिर्फ सँभाला, बल्कि उसमें सुधार कर उसे अग्रणी अखबारों की श्रेणी में ला खड़ा किया।

❑

naukri.com
India's No 1 Job Site

संजीव बिखचंदानी

"अगर आप पर्याप्त अथवा उपयुक्त और समय के साथ चल रहे हैं तो रास्ता किसी-न-किसी रूप में जरूर मिलेगा। बस आप में उस रास्ते को अपनाने की सक्रियता होनी चाहिए।"

आई.आई.एम. अहमदाबाद के छात्र रहे संजीव बिखचंदानी ने एच.एम.एम. में हॉर्लिक्स की मार्केटिंग की अच्छी-खासी नौकरी छोड़कर अपनी दो कंपनियाँ शुरू कीं—'इंडमार्क' और 'इंफोएज'। ऐसा करने के पीछे कारण यह था कि वे अपना काम शुरू करना चाहते थे, जिसमें उनकी हार्दिक और मानसिक प्रसन्नता छिपी हुई थी।

कुछ-न-कुछ नया और क्रांतिकारी कार्य करने के विचार संजीव के दिमाग में घुमड़ते रहते थे। समाचार-पत्रों एवं पत्रिकाओं में संजीव देखते थे कि कुछ पेज नौकरी से संबंधित होते थे। बस क्यों न नौकरियों से संबंधित अपनी एक वेबसाइट शुरू की जाए। जहाँ लोगों को नौकरी के संबंध में पल भर में अनेक महत्त्वपूर्ण जानकारियाँ मिल सकें। आखिर में उन्हें सफलता मिली और उन्होंने एक अन्य व्यक्ति अनिल के साथ मिलकर नौकरी डॉट कॉम (naukari.com) की स्थापना कर डाली।

संजीव के अथक प्रयासों के फलस्वरूप धीरे-धीरे naukari.com मीडिया

के कलेवर में भी आने लगी और देखते-ही-देखते बाजार में इसने अपनी पैठ बना ली। शुरुआत में कंपनी का वार्षिक व्यवसाय 2.25 लाख रुपए था, लेकिन थोड़े ही समय में 18 लाख रुपए वार्षिक हो गया। इसी बीच उन्होंने बाजार के उतार-चढ़ाव को भी झेला, लेकिन वे कभी भी हिम्मत हारते नहीं दिखे और पूरी लगन तथा मेहनत से अपने लक्ष्य को प्राप्त करने में जुटे रहे।

हालाँकि ऐसा नहीं है कि संजीव ने नुकसान का सामना नहीं किया; लेकिन साहस और धैर्य की प्रतिमूर्ति संजीव ने हर विपरीत परिस्थिति में स्वयं को सँभाला, जिसका परिणाम यह हुआ कि उनकी कंपनी इंफोएज के केवल छह महीनों के भीतर ही पूरे भारत में दस-बारह कार्यालय खुल गए और नोएडा में कंपनी का एक शानदार तथा विशाल कार्यालय भी खुल गया। आज इस कंपनी के पास 1,560 कर्मचारी हैं, जिनमें से 1,200 कर्मचारी बिक्री विभाग में हैं।

चूँकि संजीव हमेशा से ही कुछ नया करनेवाले क्रांतिकारी सोच के व्यक्ति रहे हैं। अत: उनकी कंपनी ने एक वैवाहिक साइट jeewansathi.com, प्रोपर्टी साइटें 99axres और allcheckdeals.com, एक सोशल नेटवर्किंग साइट brijj.com और शिक्षा पोर्टल shiksha.com शुरू की।

सन् 2006 में कंपनी का राजस्व 84 करोड़ रुपए था, जो 2007-08 में बढ़कर 239 करोड़ रुपए तक पहुँच गया। कंपनी की वर्तमान बाजार पूँजी 63 करोड़ डॉलर यानी 2,500 करोड़ रुपए है।

अब इंफोएज कंपनी जो सफलता के उच्च शिखर पर है, वह संजीव बिखचंदानी की कठिन मेहनत का ही परिणाम है। ऐसा नहीं है कि उन्हें असफलता नहीं मिली, लेकिन उन्होंने कभी हार नहीं मानी। उन्होंने अपनी असफलता से सीख ली, फिर आगे बढ़े और यही उनकी अपार सफलता का रहस्य है।

❑

सावित्री जिंदल

"जहाँ बहुतेरों को दीवारें दिखीं, उसे दरवाजे नज़र आए। हरियाणा के एक कृषक का बेटा एक महान् उद्यमी बनकर उभरा।"

ओम प्रकाश जिंदल, जो ओ.पी. जिंदल के नाम से ज्यादा लोकप्रिय हैं, का जन्म एक किसान परिवार में हुआ। बचपन से जिंदल की रुचि तकनीकी कार्यों में थी। उन्होंने हिसार में बालटी बनाने की एक लघु निर्माण इकाई स्थापित कर अपने औद्योगिक कॅरियर की शुरुआत की। वर्ष 1964 में उन्होंने जिंदल इंडिया लिमिटेड नाम से एक पाइप यूनिट स्थापित की, जिसके पश्चात् 1969 में जिंदल स्ट्रिप लिमिटेड के नाम से एक बड़ा कारखाना स्थापित किया। इसके बाद वे ऊँचाइयाँ चढ़ते गए, चढ़ते गए और इस दुनिया से अलविदा हुए। बाकी का कार्य उनके बेटों ने किया। वर्ष 2005 में एक हेलिकॉप्टर दुर्घटना में ओ.पी. जिंदल नहीं रहे। सावित्री देवी ओ.पी. जिंदल ग्रुप के संस्थापक की विधवा पत्नी हैं। 12.2 अरब डॉलर की हैसियत के साथ वह एशिया की सर्वाधिक धनी महिला व विश्व की चौथी सर्वाधिक धनी माँ हैं। अभी वे 60 वर्ष की हैं तथा उनके नौ बच्चे हैं, जो कि दुनिया भर की 70 माताओं की सूची में सबसे अधिक हैं। उनके चार बेटे–पृथ्वीराज, सज्जन, रतन व नवीन अपने-अपने उद्योगों को

बहुत अच्छी तरह चला रहे हैं। इनमें से प्रत्येक एक सफल यूनिट सँभाले हुए हैं। इनका परिवार राजनीति के क्षेत्र से भी जुड़ा है। स्वयं सावित्री हिसार से कांग्रेस की विधायक हैं।

नवीन जिंदल कांग्रेस के सांसद होने के कारण मीडिया में ज्यादा छाए रहते हैं। साथ ही उन्होंने तिरंगा झंडा फहराने का प्रत्येक भारतीय का मौलिक अधिकार दिलाने का मामला भी अदालत में जीता है। 22 साल की उम्र में उन्हें मात्र एक फैक्टरी मिली थी, जिसे उन्होंने एक विशाल ग्रुप में बदल दिया। इसके बाद वे लगातार सफलता प्राप्त करते ही गए। वे *'फोर्ब्स एशिया'* के कवर पेज पर दिखे। उन्होंने टेक्सॉस विश्वविद्यालय से स्नातक की उपाधि ली। उनके दूसरे भाई भी अपने व्यवसायों में इसी तरह सफल रहे, जो कि अपने आप में बड़ी दुर्लभ बात है। मेरे नजरिए से ऐसा अच्छे पालन-पोषण एवं माता-पिता से मिले संस्कारों के कारण है।

ओ.पी. जिंदल सी.एस.आर. दर्शन कहता है, "चरित्र का विकास आराम और शांति में नहीं किया जा सकता। मात्र अनुभव से आत्मा बलवती, महत्त्वाकांक्षी व प्रेरित होती है और सफलता हासिल करती है।"

❑

सी.के. रंगनाथन

"कोई भी काम, जिसे आप उत्साहपूर्वक करते हैं अवश्य सफल होता है। उत्साह पैसे को भी पीछे छोड़ देता है। यह शैक्षणिक योग्यता को भी पीछे छोड़ देता है।"

भारत में पाउच क्रांति की शुरुआत एक साधारण कृषक चिन्नी कृष्णन, जिनका अपना औषधि का व्यवसाय भी था, ने की। वह एक अच्छे प्रवर्तक भी थे। उन्होंने एक से बढ़कर एक प्रवर्तन किए, किंतु कभी भी विपणन रणनीति पर विचार नहीं किया। अधिकतर व्यवसायी बड़े उद्यमी तो होते हैं, किंतु उनकी विपणन नीति कमजोर होती है। उनके बेटों में से एक सी.के. रंगराजन, जो पढाई में कमजोर थे, ने अपनी स्ट्रीट स्मार्टनेस का प्रयोग अपने उत्पादन की विपणन धारणा की अभिवृद्धि के लिए किया। 15,000 रुपयों से अपना व्यवसाय प्रारंभ कर वह पारिवारिक व्यवसाय से पृथक् हो गए, ताकि उनकी स्वयं की उद्यम युक्ति कारगर हो सके। उनका पारिवारिक व्यवसाय वेलवेटी शैंपू का था। सी.के. ने चिक शैंपू का उत्पादन शुरू किया। सन् 1989 में वह चेन्नई चले गए, किंतु उनके उत्पाद का निर्माण कार्य तमिलनाडु के कुड्डीलोर में ही रहा।

दक्षिण भारत में विविध प्रवर्तनों के माध्यम से वह चिक शैंपू को नंबर वन पर स्थापित करने में सफल रहे। उनका विश्वास अपने ग्राहकों के पैसे का मूल्य लौटाना है। गोदरेज द्वारा बड़े पैमाने पर वेलवेटी शैंपू का विपणन किया गया; किंतु इसमें आंशिक सफलता ही हाथ लगी। मगर परचून की एक छोटी सी परचून की दुकान से लेकर ग्रामीण बाजार तक ले जाने के कारण चिक शैंपू बाजार में छा गया। ग्रामीण बाजार शहरी बाजार की अपेक्षा दोहरी गति से बढ़ रहा है। 7 साल तक चिक शैंपू तक सीमित रहने के पश्चात् सी.के. ने अपने व्यवसाय का विस्तार अनेक अन्य उत्पादों की शुरुआत करके किया है, जैसे—मीरा हर्बल, ब्यूटी कॉस्मेटिक्स, इत्र, फेयर एवर क्रीम, इंडिका हेयर डाई और रुचि पिकल्स। इन सबके पीछे सी.के. की मात्र 15,000 रुपए की पूँजी की भूमिका है, जिसका *'बिजनेस टुडे'* के जून 2009 अंक के अनुसार 2008 का टर्नओवर 700 करोड़ रुपए था। वर्ष 2009–10 में टर्नओवर का लक्ष्य 1,000 करोड़ रुपए निर्धारित है। उन्होंने शारीरिक रूप से अक्षम कामयाब लोगों के लिए केविनकेयर अवार्ड के रूप में सी.एस.आर. क्रिया कलाप शुरू किया है।

❑

सी.पी. कृष्णन नायर

> "मैं भाग्य पर भरोसा नहीं करता। यदि ऐसी किसी चीज का अस्तित्व है, तो वह केवल ऐसे लोगों तक चलकर आती हैं, जिनमें कर्म करने का साहस हो।"

यदि किसी ने अपने जीवन काल में अपनी कथनी को करनी में कर दिखाया तो वह यही व्यक्ति हैं। उनका जन्म केरल के एक गरीब कृषक परिवार में हुआ था। स्कूल में एक राजा के समारोह व्याख्यान के दौरान वह उसके व्यक्तित्व से क़ाफी प्रभावित हुए। यहाँ उन्होंने अपना उद्यम कौशल दिखाया। वह मंच पर उस राजा की बड़ाई में एक कविता सुनाने के लिए चले गए। राजा द्वारा कृष्णन को आजीवन छात्रवृत्ति प्रदान की गई। ऐसे ही आत्मविश्वास के साथ वह छात्र आंदोलन से जुड़ गए और ए.के. गोपालन जैसे कांग्रेस नेताओं के संपर्क में आए।

अपनी छात्रवृत्ति की राशि से वह दो साल तक मद्रास आर्ट कॉलेज में उच्च शिक्षा प्राप्त कर सके। सन् 1942 में द्वितीय विश्व युद्ध जोरों पर था, तभी कृष्णन ने सेना में शामिल होकर अपने परिवार को सहारा दिया। सेना में उन्हें एक वरिष्ठ पद पर नियुक्त किया गया। अपने सैन्य सेवा काल के दौरान वे अपनी वाक्पटुता, व्यवहार-कुशलता और साहस के कारण देश के महत्त्वपूर्ण लोगों से मिले। उनमें

वी.पी. मेनन का नाम भी शामिल है, जो भारत के वाइसरॉय लॉर्ड वावेल के साथ काम करते थे। युद्ध के पश्चात् उन्हें कंज्यूमर कोऑपरेटिव फेडरेशन, केरल में सफलता मिली। तभी उन्होंने एक सफल हैंडलूम व्यवसायी ए.के. नायर की बेटी लीला से विवाह किया। वर्ष 1952 में वह ससुराल पक्ष के पारिवारिक व्यवसाय में संलग्न हो गए। टेक्सटाइल व्यवसाय में भी उनके संबंधों से भाग्यशाली मौके मिलते रहे। आगे चलकर उन्होंने अमेरिका के टेक्सटाइल व्यवसायियों से भी संपर्क स्थापित किया। अपनी अमेरिका यात्रा के दौरान उन्होंने कॉनटेड हिल्टन से अच्छे संबंध स्थापित किए।

वर्ष 1957 में अपने नेटवर्किंग कौशल का इस्तेमाल करते हुए उन्होंने बंबई के एक उप-शहरी क्षेत्र में 'लीला स्मॉरिश लेस लिमिटेड' नाम से एक छोटी सी औद्योगिक इकाई स्थापित की। आज इस कंपनी की 20 फैक्टरियाँ हैं। अपनी इस कामयाबी के परिणामस्वरूप उन्होंने 12 वर्ष के अल्पकाल में भारत के दो सर्वोत्तम होटल—लीला केपिंसकी, मुंबई और लीला केपिंसकी, गोवा शुरू किए। अब इन होटलों की श्रृंखला में बंगलौर, तिरुअनंतपुरम, गुड़गाँव, उदयपुर और नई दिल्ली शामिल हैं। मेरे नजरिए से, भारतीय उद्यमिता के नख से शिख तक सातवें आश्चर्य हैं।

❑

Infosys®

सुधा नारायण मूर्ति

"आप जो भी करें, उसे अपनी क्षमता से बेहतर ढंग से करें। हर काम में मेरा यही लक्ष्य रहता है।"

सुधा कुलकर्णी का जन्म 19 अगस्त, 1950 को उत्तरी कर्नाटक के हुबली क्षेत्र के एक मध्यम वर्गीय परिवार में हुआ था। स्कूली शिक्षा पूरी करने के बाद 1968 में उन्होंने हुबली के बी.वी.आर. इंजीनियरिंग कॉलेज में दाखिला ले लिया। उन्होंने अपनी इंजीनियरिंग की डिग्री प्रथम श्रेणी में प्राप्त की। इसके बाद वे इंडियन इंस्टीट्यूट्स ऑफ साइंस से कंप्यूटर साइंस में एम.टेक. करने के लिए बेंगलुरु आ गईं।

यह वह समय था, जब कोई भी पुरुष महिलाओं को आगे बढ़ते हुए नहीं देखना पसंद करता था। यानी महिलाओं के मातहत काम करना पुरुष अपनी शान के खिलाफ समझते थे। पूरे देश में यह बात आम थी कि महिलाएँ कितने भी उच्च दरजे की पढ़ी-लिखी क्यों न हों, लेकिन वे कोई विशेष तकनीकी कार्य नहीं कर सकतीं; लेकिन सुधा ने इस प्रकार की अवधारणा को गलत साबित कर दिया। उन्होंने न केवल लोगों की इस सोच को बदला, बल्कि उद्योग-धंधों में भारतीय महिलाओं की भागीदारी सुनिश्चित करने के लिए प्रेरणा का काम भी किया।

एक ऐसी घटना ने सुधा का जीवन बदल दिया, जब वे उच्च शिक्षा के लिए विदेश जाना चाहती थीं। एक दिन वे अखबार पढ़ रही थीं कि अचानक उनकी नजर टाटा की टेल्को कंपनी के विज्ञापन पर पड़ी, जिसमें लिखा था—'इस पद के लिए महिलाएँ आवेदन न करें।' विज्ञापन पढ़ते ही वे बिफर पड़ीं और उन्होंने टाटा समूह के अध्यक्ष जे.आर.डी. टाटा को पत्र लिखा कि लिंग के आधार पर योग्य महिला इंजीनियर को नौकरी न देना सरासर गलत है। उनके पत्र से जे.आर.डी. टाटा बहुत प्रभावित हुए और उन्होंने उन्हें साक्षात्कार हेतु पुणे आने के लिए टेलीग्राम भेजा। सुधा को लगता था कि उन्हें शायद ही कंपनी में नौकरी मिले, क्योंकि किसी ने कहा था कि बॉस को कड़े शब्दों में पत्र लिखनेवाली इस महिला को नौकरी मिलना असंभव है; लेकिन उन्हें नौकरी मिल गई। इस प्रकार वे पहली महिला इंजीनियर थीं, जिन्हें टाटा कंपनी में नौकरी करने का मौका मिला।

सुधा के जीवन में दूसरी महत्त्वपूर्ण घटना नारायण मूर्ति का उनके जीवन में दस्तक देना था। वे दोनों एक-दूसरे से प्रेम करने लगे थे। 1978 में दोनों ने विवाह कर लिया।

जब नारायण मूर्ति ने 1981 में इंफोसिस कंपनी की स्थापना की तो उसकी स्थापना में सुधा ने महत्त्वपूर्ण भूमिका अदा की। 1982 में सुधा ने टेल्को कंपनी छोड़ दी और अपने पति के साथ पुणे आ गईं। यहाँ उन्होंने इंफोसिस के लिए बावरची, क्लर्क, सेक्रेटरी और असिस्टेंट आदि रूपों में काम किया। चूँकि कंपनी का काम बढ़ गया था तो सुधा इससे जुड़ना चाहती थीं, लेकिन उनके पति ने स्पष्ट कहा कि कंपनी के लिए या तो तुम काम कर सकती हो या मैं। अतः अपने पति की खातिर उन्होंने त्याग कर दिया और वे कंपनी से हट गईं।

असाधारण प्रतिभा की धनी सुधा ने अनेक पुस्तकें भी लिखीं। उन्होंने स्वयं को समाज में केवल एक महिला इंजीनियर के रूप में ही नहीं स्थापित किया, बल्कि समाज के विकास के लिए भी बहुत से कार्य किए।

❑

सुनील मित्तल

"जब सबकुछ सचमुच जटिल हो जाए और तुम्हें कोई रास्ता नजर न आए, तो अपने अंतर्ज्ञान पर भरोसा कीजिए।"

—गौतम अडाणी

सुनील एक राजनीतिज्ञ (कांग्रेस सांसद) सतपाल मित्तल के बेटे हैं। 18 वर्ष की उम्र में पंजाब विश्वविद्यालय से स्नातक होने के पश्चात् उन्होंने राजनीति के ऐशो-आराम के बदले उद्यमिता की चुनौती भरी राह पर चलने का निर्णय लिया। राजनीति फिसलन से भरा ढालवाला व्यवसाय है और युवाओं को सुनील मित्तल से जीवन भर के लिए फिसलनेवाले रास्ते पर न चलने की सीख लेनी चाहिए, क्योंकि भारत में आज उद्यमिता अवसरों का एक अच्छा क्षेत्र बन चुका है।

18 वर्ष की उम्र में छोटे पैमाने पर साइकिल के पार्ट्स निर्माण की इकाई से लेकर 'जैन अफ्रीका' हासिल करने तक। बड़ी विनम्रता के साथ उन्होंने कहा कि एक पूरी तरह भारतीय कंपनी के पश्चात् अब हम 18 देशों में उपस्थित रहते हुए अंतरराष्ट्रीय व्यवसाय से जुड़कर बहुत कुछ सीखेंगे। साइकिल पार्ट्स से लेकर सन् 1982 में जेनरेटर्स के सुजुकी डिस्ट्रीब्यूटर्स तक। ताइवान में एक इलेक्ट्रॉनिक प्रदर्शनी में हिस्सा लेने के दौरान उन्हें पुश बटनवाला फोन सेट देखने को मिला।

चाइना मोबाइल, वोडाफोन, टेलिफोनिका और अमेरिकन मोबाइल के बाद एयरटेल विश्व की पाँचवीं सबसे बड़ी टेलीकाम कंपनी होने के लक्ष्य-प्राप्ति के साथ उद्यमीय यात्रा शुरू हुई। चाइना मोबाइल की 52.2 करोड़ ग्राहक संख्या की तुलना में उनकी ग्राहक संख्या 18 करोड़ है। यदि सुनील व्यावसायिक प्रबंधन में प्रवीण नहीं होते तो यह सब हासिल नहीं हो सका होता। इस सफलता का श्रेय अनिल नैयर, संजय कपूर, मनोज कोहली और 17,000 से अधिक कर्मचारियों को जाता है। सुनील के भाई राजन और राकेश व्यवसाय में उनकी मदद करने के अलावा इस समूह के विविध हितों पर भी नजर रखते हैं।

ग्राहकों और कर्मचारियों के हित में सुनील की महत्त्वाकांक्षा भारत का टॉप ब्रांड बनने की है। हर कंपनी प्राय: यह कहते सुनी जाती है कि जनता उनकी सबसे बड़ी संपत्ति है। बी.बी. द्वारा किए गए सर्वेक्षण के मुताबिक, एयरटेल की कथनी और करनी में फर्क नहीं है। एयरटेल में पदोन्नति अपेक्षाकृत तेज होती है। प्रति कर्मचारी वार्षिक प्रशिक्षण की अवधि 48 घंटे है। इसके अलावा, ''जब कभी भी मैं एयरटेल की कतरनोंवाली फाइल के पन्ने उलटता हूँ, तो मैं इतना ही कह पाता हूँ—सुनीलजी, तुसी ग्रेट हो!''

जहाँ तक सी.एस.आर. की बात है, उसमें भी वह पीछे नहीं हैं। उनके द्वारा संचालित 236 विद्यालयों में 30,000 छात्र अध्ययनरत हैं। अगले तीन वर्षों में उनकी योजना में 50 प्राथमिक शालाएँ, 50 उच्चतर माध्यमिक शालाएँ और 1,00,000 लाख छात्र लक्षित हैं। उनके जीवन का एकमात्र दु:ख यही है कि उनकी सफलता का सुख भोगने के लिए उनके पिता अब इस संसार में नहीं हैं।

❑

BVG

हनुमंत और गायकवाड़

"गृह-सज्जा एवं सुविधा प्रबंधन सेवाओं के रास्ते सतारा से टेल्को, फिर संसद्, फिर राष्ट्रपति भवन।"

हनुमंत 300 करोड़ रुपए की हैसियतवाली कंपनी के प्रबंध निदेशक हैं, जिसमें 16,000 कर्मचारी हैं, जो 28 शाखाओं के नेटवर्क के माध्यम से 13 राज्यों में जाने के लिए तैयार हैं। इसका कारण दिन-दूनी रात चौगुनी गति से बढ़नेवाले उद्यमीय जोश है, जो तब आता है, जब भारतीय हनुमंत जैसे लोगों की रंक से राजा वाली सफलता की कहानियाँ पढ़ते हैं। हममें से अधिकतर आलसी हैं। सचमुच! लेकिन हममें से कुछ शीशे की छत तोड़ देते हैं, जो वस्तुतः कभी भी अस्तित्व में नहीं थी।

हनुमंत का परिवार 10' x 10' आकार के एक कमरे में रहता था। उनके पिता बीमार रहते थे। माँ ने घर चलाने के लिए अध्यापन का कार्य शुरू किया। विपरीत परिस्थितियाँ जीवन में कभी-कभी आप में समाहित बड़ी योग्यताओं को जगा देती हैं और यही बात हनुमंत के साथ हुई। वे ले-देकर इलेक्ट्रॉनिक्स में डिप्लोमा करने के बाद बतौर प्रशिक्षु फिलिप्स कंपनी में लग गए। लेकिन आगे ऋण लेकर बी.टेक. करने के लिए उन्होंने यह कार्य छोड़ दिया। अपने महाविद्यालयीन वर्षों के दौरान उन्होंने ट्यूशन पढ़ाना एवं छोटे-मोटे कार्य करना शुरू किया। यह सब वह अपने

एक मित्र के साथ मिलकर करते थे। उन्होंने अपने जॉब से श्रमिकों को लाकर पुताई का कार्य शुरू किया। उन्होंने अनेक छुटपुट निर्माण कार्य के ठेके लिये, क्योंकि उन्होंने आस-पास के गाँवों से भरोसेमंद व मितव्ययी श्रमिकों की आपूर्ति तलाश कर ली थी। जैसा कि हेनरी फोर्ड ने डिट्रायल में किया, उसी तर्ज पर वे अपने श्रमिकों की बेहतर परवाह करते थे।

सन् 1994 में बी.टेक. करने के बाद उन्होंने टेल्को कंपनी में नौकरी कर ली, जिसके अलावा वह सही अर्थों में अच्छे स्तर के उद्यमी हो गए। ऐसा उनके अच्छे मालिकों के कारण संभव हुआ। उन्होंने (मालिकों ने) उनमें अपने कार्य को अत्यधिक श्रेष्ठतर करने की भूख देखी। उन्हें छोटे-मोटे गृह प्रबंधन के काम मिलने लगे। तभी उन्हें इंडिका प्लांट में सफाई के कार्य का ठेका प्राप्त हुआ और उन्होंने अपने मित्र उमेश माने, जो कि आज उनकी कंपनी के प्रबंध निदेशक हैं, को अपने साथ ले लिया। तभी उन्होंने सन् 1999 में टेल्को की नौकरी छोड़ दी। विवाह कर लिया। गृह प्रबंधन उनका पूर्णकालिक व्यवसाय हो गया। उन्होंने अत्याधुनिक स्वीपिंग मशीनें खरीद लीं और उन्हें अच्छी तरह चलाने के लिए अपने कर्मचारी स्टाफ को प्रशिक्षित किया, ताकि वे सफाई कार्य अच्छी तरह से कर सकें। आज बी.वी.जी. बजाज, महिंद्रा, अशोक लीलैंड और अनेक दूसरी कंपनियों का गृह प्रबंधन कार्य सँभाल रही है। उनके क्लाइंट्स की सूची में प्रधानमंत्री निवास, संसद् भवन, राष्ट्रपति भवन भी शामिल हैं। वे दृश्यभूमि निर्माण एवं बागबानी की सेवाएँ भी देते हैं। विद्युतीय कार्य से लेकर गृह व्यवस्था से जुड़ी ग्राहकों की किसी भी आवश्यकता का उत्तर बी.वी.जी. है। उद्यम का यह कारनामा उन्होंने एम.बी.ए. की अपेक्षा एम.डब्ल्यू.ए. अर्थात् मैनेजमेंट बाई वॉकिंग एराउंड–चारों ओर घूम-घूमकर किए गए प्रबंधन से कर दिखाया।

❑❑❑